William Morris

威廉‧莫里斯

對台灣工藝的意義

特輯

台灣工藝 19
TAIWAN CRAFTS

目錄 CONTENTS

封面故事 COVER STORY

由國立台灣工藝研究所等主辦的《西班牙陶藝交流展》，自 2004 年 11 月起展開全台巡迴展，展出從二十世紀初至當代三十餘位陶藝家共七十多件作品。本展不僅促進了我國與西班牙的藝術交流，也為國人帶來一場充滿浪漫與想像的西班牙當代陶藝創作盛宴。

作品：藍色邊緣一（1996-1998）
作者：卡門柯耶爾
取材：赤土、化妝土
技法：以赤土陶板為基礎，施化妝土磨光，1080 度一次燒成
尺寸：12 × 36 公分

Title: On the blue brim Ⅰ (1996-1998)
Artist: Carmen Collel
Materials: Terracotta, Engobe
Techniques: Engobe polished on Terracotta base, single firing at 1080 ℃
Size: 12 × 36 cm

此作「藍色邊緣一」為本展的精采作品之一，是卡門柯耶爾在90年代中期的系列作品。延續了在荷西柯耶爾孟都（Montevideo）工坊學習的技法，作品皆彩繪，一次乾燥磨光。採藍色系，水平橫置以便於全面透視。

根據卡門柯耶爾的說法，「水平狀態」是企圖讓作品如同「沉澱」狀態，從而延展其形式與色彩。藝術家試圖建立具啓發性的物體，讓陶器不僅僅是「物體」，更由於其家用性質，具有別於一般圍繞我們週遭物品的能力。

Touring around the island from November 2004, the Spanish Contemporary Ceramics Exchange Exhibition held by National Taiwan Craft Research Institute, is going to present more than 70 pieces by over 30 artists, which date from the early 20th century up to now. The aim of the exhibition is to promote the cultural exchange between Spain and Taiwan, and it is firmly believed the exhibition will bring us a dazzling and imaginative feast of Spanish contemporary ceramics.

The piece, initiated by Carmen Collel in the middle of 1990s, is one of the finest works in the exhibition. It follows the tradition of color painting, single polishing and single firing the artist learned from the workshop in Montevideo, taking on various shades of blue while lying horizontal in favor of a panoramic perspective.

According to Carmen Collel, the horizontal work represents a state of sediment which enables a stretch of color and form. The artist tries to present inspiring creations which redefine ceramics not only as objects, but also as items with a potential for household utility to differentiate from others in our life.

圖文提供／國立台灣工藝研究所　翻譯／孫昭業

傳統工藝的精神不僅是國民工作倫理，更是一種追求盡善盡美的精神。十九世紀 William Morris 將有品味、有格調的壁紙帶進每個英國家庭裡，這項兼具機能與美感的革命性發展，影響了歐洲商業設計。如今，台灣社會已經有足夠條件，也是推動工藝精神的時機了。

攝影／陳信翰（中國時報資料照片）、李碧勳（中國時報資料照片）、洪千懿。圖片提供／國立台灣工藝研究所、文建會、趙家窯

文建會主委陳其南
談傳統工藝與全民美學

文
陳盈珊 中國時報撰述委員

傳統工藝的精神與阿里山小火車事故、飛機墜機，乍聽之下沒有任何相干，但是，行政院文化建設委員會主任委員陳其南認為，傳統工藝的精神與國民工作倫理有關，如果能將那種從頭到尾投入一件生活工具製作的工藝精神，用在每一件工作上，那麼，許多的意外都可以避免。而這種精神正是文建會未來將積極推動的重要政策。

台灣工藝研究所歷史相當悠久，如果從前身「南投縣工藝研究班」開始算起，應溯自民國廿四年，後來在民國六十二年，由當時的台灣省政府主席謝東閔將之改制為「台灣省手工業研究所」，隸屬於省建設廳，為省府三級機構。直到民國八十八年七月，隨著精省再改制為「國立台灣工藝

研究所」，隸屬於行政院文化建設委員會，以發揚台灣工藝特色文化。

然而，陳其南坦承，由於定位一直不清楚，使得工藝研究所近年來一直無法發揮應有的功能。推動傳統工藝的發展是陳其南上任之後，相當重要的政策之一，因此，他表示，對於工藝所未來的方向，將會有一個系統性的推動藍圖；對於工藝界來說，少數重要的國家工藝獎也將有更明確的定位。

從訂定工藝獎的遊戲規則做起

陳其南指出，工藝與美術不同，簡單地區分，美術不具有實用價值，是純粹的美學；而工藝則具有其獨特性，就是可以使用，如果脫離實用階段，就近入純粹美術的領域。然而，近年來的工藝獎卻都陷入了傳統的迷思，愈來愈走向「工藝美術」，結果卻將真正從事工藝創作的工匠排除在外。

陳其南以身邊器物為例，比方說一張桌子的觸感，與工匠的技藝有很大關係，是不是能磨出最完美的邊、漂亮的弧度，或是像接頭卡榫是不是銜接恰到好處的臻品，這都是工藝的範疇。但是台灣的工藝發展卻未能將重點放在這裡，以致於一直沒有足夠的人才。而文建會與工藝所所能做、該做的，就是領導其改變方向，而這些就可以從明確訂定工藝獎的遊戲規則做起。

事實上，陳其南認為，傳統工藝是現代設計的源頭，二者看似兩股不同的勢力，其實卻是息息相關。因為如果傳統工

台灣生活用品評選獎「碗」，安達陶瓷作品。（提供／國立台灣工藝研究所）

藝的價值精神無法發揚出來，傳統工藝的基礎不穩，那麼現代設計也將無從發展。其中最明顯的例子就是日本，日本許多小地方都保有完整的工藝技術，從木家具、漆器、木工具等，乃至於工業母機，對內有良好的傳承，對外也有相當的知名度，除了實用價值外，也為地方帶來相當可觀的文化觀光產值；就因為有這些傳統工藝做後盾，日本的現代設計也非常進步，許多設計的精準都來自於傳統工藝所奠下的基石。

除了民間的努力之外，日本的地方工藝發達，與地方政府費心推動有極大關係，而中央也將之視為文化產業重要一環，大力協助地方政府發展當地特色；反觀台灣，距離這樣的規模有著相當大的差距，所以，陳其南說，未來文建會將竭力輔導地方政府，視各縣市、鄉鎮原有的特色，推動地方工藝，目前台灣工藝追求的只是專業者的工藝、美學化的工藝，至少也要激起大家都去發展工藝的興趣。陳其南強調，是要鼓勵工藝具有美感，而不是只強調其藝術性，否則將會傷害工藝發展的龐大基礎。

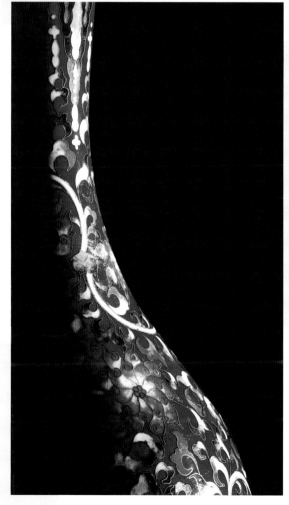

「雕漆圓盒」，生漆，光山行作品。
「花草圓瓶」，景泰藍，郭明橋作品。
「回娘家」，省產陶土，唐永哲作品。
（國立台灣工藝研究所典藏品）

傳統工藝精神與國民工作倫理

　　然而，陳其南認為，傳統工藝的精神更重要之處，還在於與國民工作倫理有關。陳其南說了一個令人相當驚訝的理論，就是若所有人在工作時都能秉持傳統工藝的精神，那麼像阿里山小火車翻覆意外、飛機墜機失事等，都是可以避免的。

　　因為，傳統工藝的精神，就是一種工作精神，那種從頭到尾投入一件生活用具製作的心思，在處理工作上的任何環節都不會馬虎。所以，陳其南說，假如小火車的維修技術人員當初在小火車出發前按部就班做好所有安全檢查，飛機在起飛前完全依照工作守則再確認一遍油料、零件等，很多憾事就可以避免，那些意外之所以發生，就是因為負責的人以為自己已經夠熟練，不再重視每一個環節。

　　傳統工藝的精神其實也是一種追求盡善盡美的精神。十九世紀英國有一位多才多藝的傑出人物William Morris，他同時是個藝術家、詩人、還是一位出版商，不過，他最為人熟知的是他所設計的壁紙。William Morris為自己訂定一個使命，就是要將有品味、有格調的壁紙帶到普羅大眾的居家生活裡，他的這項創舉為他的公司賺進可觀的鈔票，也為之後的英國人開創更簡單、更輕鬆的生活方式，直到今日，英國的居家裝潢依然有著William Morris的印記。

　　陳其南說，William Morris 最初的構想，就是在解決當時英國產品設計只追求機能，不重視美感的問題。而這項革命性的發展，不僅影響了歐洲國家的商業設計，也跨海影響到日本的工藝設計界，甚至間接影響台灣前輩工藝美術家顏水龍，他在二次大戰前曾經於台灣試圖推動工藝運動，只可惜當時的經濟條件還不足，社會上的迴響並不大。

　　不過，陳其南說，如今的台灣社會已經有足夠的條件，是推動工藝精神的時機了。所以，國美館、工藝所與時藝多媒體刻正積極籌畫William Morris的展覽，藉由一系列的研討會、重新詮釋的展覽，讓台灣民眾認識William Morris與其作品，更喚起台灣人對傳統工藝的熱情。

　　只是，相較於美學的部分，陳其南比較在意的還是傳統工藝形塑的工作倫理，因為在他的觀點，那部分是此刻台灣迫切需要的，他認為日本的當代設計之所以能如此蓬勃發展，與職人精神有關。

　　日本許多小地方的小工廠，生產的工業母機之精密，堪稱世界一流；即使在町工廠那樣的規模，測量、設計一樣追求完美，縱然是不銹鋼器具也一定按部就班做到好。在這樣的情況下，製作的過程就是一種價值，而不是只在意產品完全成形後是否完美。

　　事實上，陳其南說，這點就和僅僅追求速成、只求結果的台灣精神截然不同，也就是在這樣的心態下製作、品管、檢驗，才會有那麼多劣質品的出現，也才會在很長的時間裡，讓「台灣製造」的產品在國際間與「中看不中用」劃上等號。

　　陳其南認為，無論是基於興趣、消磨時間、或是美學的追求，如果能夠專心致志地完成一件作品，那麼製作過程本身就是一種享受，至於結果如何反倒是其次，

這就是典型的日式精神；將這種精神延伸到工作上，縱然是日復一日的固定流程，即便知道沒有問題，都還能依著規定再做一次、再檢查一遍，作品會更完美無缺，因人為疏失而發生意外也能就此避免。

不過，傳統工藝精神的培養，當然要由下紮根，並非從小不接受這樣的教育，到了長大突然就能夠接受並且擁有這樣的精神。只不過，陳其南說，現在的學校課程內容實在太多，除了傳統的科目之外，還要增加英文、電腦、鄉土教育等課程時數，然而一天的學習時間就那麼多，這些新的重點課程自然不可避免地排擠小學的勞作、中學的工藝課。

陳其南對此倒是沒有太多的憂心，他認為，時代變遷，教改應該要更能彈性安排教學方式，課程應更重視個別性而非一致性，這本是九年一貫課程的精神所在。只可惜我們的社會還有些適應不良，難免有些落差。

但是，雖然在學科不斷擴增之下，不可能再有單獨的工藝課，但是不代表不能學習工藝精神，這部分的教育可以包含在一個大的領域內，比方美術課甚至音樂課，無論如何，理想的教育安排應該是讓每個孩子在成長過程都能有機會接觸過工藝製作，至少學會從頭到尾完成一件工藝品，無論是一張凳子、一個箱子、或是一個架子都好。

陳其南表示，這樣靈活的課程模式在國外行之有年，而且也有不錯的成效，只不過在國內由於家長與一些老教師的觀念難以接受，以致於推行起來難度增高不少。他指出，在國外的課程裡，一個大的

「佇立」，熊鄉藝品作品。
（提供／熊鄉藝品）

學科就包含很多的項目，像是社會科就涵蓋歷史、地理、公民、經濟學等，都有涉獵的機會，也會因材施教，讓不同的學生接受的程度不一，在高年級一個班十幾個人學的不盡相同，但是只有一個老師，這樣的情形十分普遍；所以，理論上，台灣的教改若能夠成功，則學生也同業可以在同一堂課內，依著自己的興趣與能力，接受不同比例的各種課程。

重視用與美的互動關係

被陳其南視為推動傳統工藝精神重要推手的國家工藝獎，前身為「傳統工藝獎」，於民國八十一年設立，源於一九九二年「國際傳統工藝大展」，為了要持續推動工藝發展，由文建會舉辦「民族工藝獎」，連續辦理了五屆，成績顯著。後來由國立傳統藝術中心籌備處接辦了三屆「傳統工藝獎」，更是在鼓勵創作及延續傳統工藝文化上綻放了豐碩的果實。二○○一年開始，為了配合政府再造和組織功能整併，文建會決定將「傳統工藝獎」交由國立台灣工藝研究所辦理，並更名為「國家工藝獎」，使這個獎項更被尊崇。

對於這個象徵傳統工藝最高榮譽的獎，陳其南有著深切的期許，除了從比賽辦法詳訂必須為具有美感的實用性工藝品，與美術作區隔之外，為了鼓勵更多工藝創作者參賽，工藝所也將協助得獎作品生產，讓民眾與設計者有一個接觸的管道。

如此一來，得獎作品不再只是能看而不能用，設計者的概念也能夠落實到生活裡的實用階段，以後民眾參觀工藝獎得獎作品，看到心儀的作品也不再只能純欣賞，而有機會可以買回家，妝點居家生活，而設計者有了真實的市場，也才有更多的後盾繼續從事更好的工藝創作。

陳其南表明，文建會將扮演一個推動的角色，建議工藝獎的方向，否則大家對於工藝的理解將愈來愈窄化，到最後傳統工藝將漸漸消失。事實上，工藝創作是人類最具體的重要精神文化資產，講求「用」與「美」之間的相互關係，其機能之美、材質之美、加工技術之美與風土文化之美，成就人類文明、豐富精神與物質生活。中國周禮考公記詳載：「天時、地利、材美、工巧，合此四者，方為良」由此印證爐火純青、登峰造極的工藝作品不僅難得一見，價值更是非凡。

令人憂慮的是，台灣許多地方的傳統工藝都在逐漸消失當中，當老藝師漸次凋零，卻又後繼無人，然後在機器製造的取代之下，許多相當具有地方特色的工藝便漸漸為人所忽視、終至遺忘。

在陳其南的構想當中，振興傳統工藝一定要從鄉鎮做起，南投竹山的竹器要重新建立傳承，除了登上國家工藝獎的寶座外，還可以設計許多地方競賽，比方說比看誰的竹子劈得最好、誰的卡榫做得最好等，都可以為相關產業進行宣傳；像鶯歌的陶藝也是一樣，陶碗、陶甕等都可以舉辦單一項目的小規模競賽，可以就此拉開技術差異性，傳統工匠也能因而獲得肯定、地位因此提高。相同的模式當然還可以應用在製作陀螺、木碗、竹匙等。

陳其南在行政院政務委員任內，就曾

經推動「工藝振興條例」，目前的規劃則是納入文化產業發展條例當中，除了規範工藝所的職掌外，也將促成地方政府依照當地特色工藝成立「傳統工藝振興委員會」，只要是運用到手工的傳統工藝，即使抓魚的魚籠也算，都可以是委員會的扶持對象，而作法上是要強調過程有趣，而不著重於產品的成果。

校園是發展全民生活美學的搖籃

提倡全民生活美學也是陳其南上任後一個相當重要的課題，不過，陳其南認為不同生活環境對於美學的定位要求也有所不同，沒有一體適用的標準，每個人透過審美的過程，培養自己的獨特性。他舉例說，在鄉村使用的碗，也許是素樸、極簡的風格，也有它的美感，並非所有的人都要使用精緻的骨磁，才代表全民生活美學到達一個水準。而在工藝所的工藝展示，就是在提供這樣一個指標。

除此之外，學校裡也是發展全民生活美學的重要搖籃，陳其南認為，即使在校園裡沒有固定的工藝課程也無所謂，只要

文建會能與學校教育達成某種共識，能夠資源分享。陳其南指出，文建會知道很多民間藝師，他們擁有好手藝、一身絕學，但是沒有顯赫的學歷，無法進入教育體系傳授技藝。

但是，陳其南說，學校這方面資訊較為匱乏，課程又較為僵化，雙方面資源兜不起來，如果教育體系能開放管道，文建會就可以提供人力，這樣許多學校就能依環境所需，發展自己的特色教學，利用社團活動將傳統工藝傳承下去，比照社區總體營造的成功模式，由地方來形塑自己的工藝特色。

陶瓷工藝彰顯美食美器。
（提供／國立台灣工藝研究
所）

威廉・莫里斯 特輯

對台灣工藝的意義

威廉・莫里斯與工藝美術運動展

時　　間：2004 年 12 月 24 日至 2005 年 2 月 27 日

地　　點：國立台灣美術館

　　　　　（台中市西區五權西路一段二號）

總 策 劃：行政院文化建設委員會

主辦單位：中國時報系、國立台灣美術館

承辦單位：時藝多媒體傳播股份有限公司

協辦單位：國立台灣工藝研究所

英國工藝美術運動是十九世紀中期英國面臨工商業轉型，知識分子目睹當時機械取代藝匠，工藝式微，因此提出回歸英國傳統工藝精神，並且引入美術設計觀念提昇工藝造型的文化運動。這個工藝運動由英國設計師威廉・莫里斯（William Morris, 1834-1896）所倡導，是全世界第一個面對工業革命所提出的解決科技與工藝衝突的對策。莫里斯和他的弟子們除了提出工藝在工業時代的價值觀外，更難能可貴的是他們以各種實踐行動開創了英國設計的前景。

英國工藝美術運動
對台灣工藝的意義

文
林媛婉　朝陽科技大學視覺傳達設計系
助理教授兼系主任

一百五十年來，英國工藝美術運動的理念及其對家居生活品質的影響深遠，間接地啓動世界各國的工藝設計，其中尤以設計界熟知的德國包浩斯、法國新藝術、日本民藝運動與美國現代工藝設計最爲著名。這個百年歷史的設計運動，在台灣長久以來卻僅僅存在於設計史課本的一個章節，其自然風格偶爾出現在課本的彩色圖版中。對大部分人而言，莫里斯以及其所倡導的英國工藝美術運動是個陌生的名詞。不但不在我們談論的文化話題中，其設計作品似乎也不存在於我們生活週

作品：“Bedale”椅（1920）
作者：恩尼斯特・吉姆森（Ernest Gimson）
取材：梯狀椅背、藺草椅墊
尺寸：97×46×37公分

威廉・莫里斯（William Morris）1834－1896

遭。現在莫里斯及工藝美術運動的作品即將在台灣展出，為了不甘該展覽以舶來品之姿，蜻蜓點水地來台一遊，謹以此文概述莫里斯及英國工藝美術運動對台灣工藝的意義。

作品：葡萄酒瓶（1904）
作者：查理斯‧羅勃特‧阿胥比（Charles Robert Ashbee）
取材：綠色玻璃，銀框，鑲銀塞子栓上有綠玉髓
尺寸：H.21 公分

作品：花器（1899）
作者：歐瑪‧倫斯登＆阿爾溫‧卡爾（Omar Ramsden
and Alwyn Carr Vase）
取材：銀，基台上浮雕

我在本文不介紹莫里斯以及英國工藝美術運動的設計風格；我要強調的是醞釀英國工藝美術運動背後的社會思潮，以及十九世紀中葉所面臨的設計改革與當前台灣工藝的關係。我以這個角度來看莫里斯的展覽，因為過去這個設計運動傳到每一個國家，都會因該地工業化的程度以及社經環境的不同，而產生不同的解讀與啓示。在我們當前熱烈討論文化產業，與地方工藝如何落實於生活環境，以提昇民眾文化意識之時，我認為英國美術工藝運動的知識根基提供了一個探討工藝現代化以及生活化的重要歷史案例，同時其工藝理念也能夠啓發我們思考台灣工藝發展的議題。

莫里斯來得眞是時候

莫里斯以及英國工藝美術運動作品來台，不但躬逢台灣自九十年代以來各地如火如荼展開「社區總體營造」的地方文化運動，也是台灣倡導文化產業，汲汲提昇民眾文化意識的年代。在「社區總體營造」部份，我們積極地以日本經驗為模範，提出藉由整理地方生活的歷史文化，振興傳統工藝產業，並從中探討營造舒適生活環境的可能性。近十年來日本宮崎清教授與國立台灣工藝研究所的互動即是日本經驗的一個例子。

在「文化創意產業」方面，台灣派出文化人才到英國取經。因為英國是現代工藝美術設計的龍頭，不但學術研究成果卓越，人才輩出，其設計能量不論在流行文化，或是傳統工藝都以優秀設計師著稱。

去年文建會出版介紹英國當代設計的「創意之島」一書即是一例。在我們積極向現代日本與英國學習之時，我在設計學院卻常常聽到學生或者業界設計師，面對精緻優雅的日本與創意活力十足的英國，哀怨地感嘆台灣遠不如人的設計環境與苦處，面對自己不知何去何從。

莫里斯及英國工藝美術運動作品來台的第一個意義，就在於幫助我們還原到當初英國以一個世界工場（就像台灣以製造業起家）如何面對工商轉型的狀態。身為全世界第一個工業革命的國家，英國工業化帶來了大量經濟的成長，卻也加劇負面的社會問題。我們現在感受到的台灣社會現象，包括道德價值沉淪，貧富差距拉大，社會瀰漫著一股奢華物質化的風氣，也是當時英國社會的寫照。首當其衝的英國知識份子面對工業現代化的資本社會，所提出的人權或社會福利的應對措施，常常讓我想到十幾年來台灣知識份子對於勞工、生態等等議題的批判。

我們可以從大量的文獻裡讀到當時英國知識份子面對社會付出代價的沉痛，例如托克威爾在1835年提到英國紡織工業大城曼徹斯特時，痛心地寫到，「從這污穢的排水溝裡流出了人類工業的巨流，澆肥了整個世界；從這骯髒的下水道裡流出了純金，在這裡，人性得到了最完全的，也是最殘暴的發展；在這裡，文明表現了奇蹟，文明人幾乎變成了野人」。

各位讀者能夠想像這是我們心目中充滿恬靜鄉野氣息，富足優雅的英國社會嗎？我們引以為模範的當代英國與日本模式，是歷經一百多年工業化所累積的文化成果。在這個光鮮成功的成果背後，我們往往忽略了當時英國面臨工業革命的困頓與混亂。例如工藝產業蕭條，藝匠面對未來機器量產取代人工不知何以自處的茫然。這種心情其實跟台灣現代化之後的社會有幾分相似的情景。工業資本經濟帶來的工資勞動，社會的不平等，處處衝擊著當時的英國讀書人。文學界出現了狄更斯的小說，學術界有卡萊爾等人嚴厲的批判，而威廉·莫里斯則以工藝設計試圖改善勞工生活以及提昇英國工藝的品質。

我們今天學習的榜樣是英國社會累積百年的文化反省，以各種行動實踐關懷社會的歷程。別人走了一百多年的經驗，才走出的一種文化風貌，而台灣面對當今不健全的現象，實在也不必老是投以羨慕的眼光，妄自菲薄。

舉目望去，每一個現代國家在經歷工商轉型的過程中，似乎都必然出現科技與社會文化的衝突與適應期。在台灣工藝界念茲在茲的日本民藝運動，不也是日本接受西方工業化的洗禮之後，社會價值觀面臨考驗，在反思自我找尋傳統的過程中，所產生的傳統工藝自覺運動嗎？德國包浩斯、歐陸的新藝術、日本的民藝運動都是各國面對工業的衝擊，工藝設計學界所產生的因應之道與文化成果。我認為十九世紀的英國工藝美術運動的社經背景與台灣目前的社會現象，都是經過工業化多年社會文化開始產生反彈的模式。

1850年代的英國社會，製造業當道，貿易增長造就了一批經濟優渥的中產階級。然而中上階級卻看不上機器量產的國產品，偏愛歐陸舶來品，知識份子意識到

作品：克洛瑪鳥／室內裝潢用織品（1884）
作者：亞瑟‧黑蓋特‧麥克穆多（Arthur Heygate Mackmudo）
取材：木版印染、印花棉布
尺寸：93 × 86 公分

作品：忍冬／壁紙試版（1883）
作者：玫‧莫里斯（May Morris）
取材：水性塗料、木版印染
尺寸：54 × 54.5 公分

貧富的巨大落差，同情社會弱勢團體，進而提出各種社會福利的改革方案。莫里斯正是這個社經背景傳統的讀書人，試圖以工藝美術為式微的工藝找尋一條出路。英國產業界則面臨了歐陸德法的市場競爭，政府官方體認到若徒然停留在製造層面，根本無法面對競爭，唯有轉型升級到產品設計，在實用機能之外，賦予產品美感價值，才能與歐陸各國相抗衡。這真是像極了享受工業化多年，以製造業起家的台灣富裕社會：新興中產階級的消費文化，方興未艾的社會福利制度，工商轉型的急迫，以及工藝產業消沉，藝文界開始倡導美感進入生活的文化現象。

有了以上的認知與角度，我認為台灣讀者來觀賞十九世紀的英國工藝美術運動，才能產生英國與台灣的關連性。也就是說，產生英國工藝美術運動的作品與二

十一世紀的台灣文化有部分相似的背景，同時也能對台灣當前的工藝設計有比較切身的感想。十九世紀的英國工藝美術運動是設計史家所稱的現代設計運動的源頭。其在學術界享有創造設計人文思潮，提昇工藝進入藝術設計的歷史地位，更難得的是它是英國人人可以琅琅上口的名詞。不但在博物館，在現代百貨公司處處可見，同時在許多現代的居家生活中也不難見到英國工藝美術運動的作品。英國工藝美術運動出現在台灣，我以為對台灣的工藝設計界甚至於我們目前所提倡的文化公民運動都深具啟發。在我們探討台灣工藝生活的推廣時，除了需要對日本經驗及英國模式有所了解外，我想我們必須開始以台灣的觀點來認識英國這個啟發現代美術工藝設計的發源地。

英國工藝美術運動在台灣

　　既然有相似之處，那麼英國當年走過的發展與推廣之道是否適用在台灣？

　　這個答案是我認為英國工藝美術運動作品來台的另一層意義。英國是個島國，讀其歷史可知其文化除了原居的塞爾特民族之外，其餘則由羅馬、德法及北歐移民進入。英國在其千年歷史進展中是個不斷有歐陸外來文化與本地塞爾特文化互相融合的國家。雖然台灣歷史短暫，但是從現在的多元文化的角度，英國與台灣的島國移民文化也有些雷同。莫里斯及其啟蒙精神導師拉斯金（John Ruskin, 1819-1900）都熱愛建築，從建築設計領域中發展出其美學理論。拉斯金著迷於威尼斯，莫里斯早年悠遊於義大利與法國，晚期則為冰島文化所深深吸引。我有時想，難道莫里斯悠遊於歐陸，見歐洲大陸歷史悠久的建築，再看到自己國內藝術大多為混雜的風格，難道不會自慚形穢於自己的嬌小，比不上歐陸純正的磅礴大器？就像台灣每每比起正統的中國文化或日本的風雅精緻，總難免要自嘆不如？

　　當英國大部分中上階級對歐陸文化趨之若鶩時，莫里斯不但沒有自慚形穢，反而於 1877 年成立了英國古蹟建築保護協會，以積極的行動來看待英國傳統建築。而歐陸的文明在莫里斯的眼裡，並不是威脅，而是一直不斷地提供設計靈感的泉源。英國工藝美術運動的設計作品，往往吸收歐陸的傳統工藝，加諸當地實用的機能，以期美化當時英國人的家居生活。例如 1879 年莫里斯所創辦的設計公司開始製

造織錦，就是承傳自義大利失傳幾百年的織錦藝術。這種自在地以異國文化為設計的靈感，我想這是十九世紀維多利亞女王時期輝煌的大英帝國人民的信心。對照帝國的自信心，不禁讓我想到台灣後殖民社會對傳統的文化認同危機。

　　近年來台灣本土文化的覺醒，在古蹟的維護與社區認同下，引發大家不斷自問什麼是台灣的文化特色。以我進入設計學院教書四年為例，在我們倡導工藝資源與生活文化設計結合之時，我常常看到學生捧著眾多的圖錄焦慮的問著，什麼是台灣的文化傳統與特色？故宮博物院中華文化的寶物？清朝民間的遺物？老祖母的紅眠床？台中街巷間的日式老房？還是散落各鄉鎮俗麗多彩的廟宇？這種不確定感，彷彿後殖民文化心理學者法農（Fanon）筆下所描述的阿爾及利亞後殖民社會對於文化認同混淆不明的集體焦慮症候。再加上近年來中國大陸挾其正統文化大器的氣勢，不免讓人感受到台灣設計教育領域中的猶疑與脆弱。

　　在當前台灣設計科系急遽增多，設計界興起對本土文化的覺醒與探索之時，台灣工藝是設計教育的寶貴資源，也是雲林科技大學楊裕富教授所稱的「設計的文化基礎」。然而，這個基礎卻依然處於淺薄而沒有自信的階段。

　　我提到殖民帝國霸權，以及被殖民國的文化認同危機並不是要將政治議題引入工藝設計領域。當我們望向莫里斯的成就以及日本民藝運動所喚起的日本傳統時，我們不要忽略了我們所看到的工藝成就都是建立在民主文化的自信心之上。大英帝

國以及日本帝國有其當時政治的強勢而產生的文化優越感。如果我們沒有認眞地去反省台灣後殖民社會所產生的文化困境，認清我們沒有能力做到的層面，以及分析台灣後殖民社會獨特的生命活力與工業化所具有的優勢，我們終將空學得工藝美術運動的形式與技術。如果我們的工藝界還是停留在技術開發或行銷的層面，缺乏如

莫里斯或柳宗悅深層理念的價值探討，我們就會應驗莫里斯所說的，「精神性的東西遠比材料更爲重要……而形式也比實用的材料、技術佔有更高的地位。即使實用目的、材料、技術三樣問題能夠完全地解決，沒有精神性，我們仍然生存在未開化的世界裡」。

作品：威尼斯風花器（1880）
作者：哈利・鮑威爾（不確定）（Probably Harry Powell）
取材：玻璃、縐褶邊緣、杯腳呈乳白麥桿色光澤。 James Powell and Sons 公司製
尺寸：24 × 18公分

在台北民生東路遇見莫里斯

莫里斯是英國工藝設計學界國寶級的人物。有關他及工藝美術運動的研究著作已累積了近三代學者的成績。莫里斯生在富商之家，就讀牛津大學文學系時，創作詩文，也辦藝文雜誌。大學時代的莫里斯受拉斯金的美學理念啓蒙，尊崇英國中世紀哥德風格。他及英國工藝美術運動成員個個不僅成爲英國傳統工藝的設計師或建築師，同時也藉由大量的著作發表，來宣揚工藝的價值與理念。出身文學或建築背景的成員們大多爲大學畢業生，在當時英國社會爲典型的新興中產階級及中堅份子。由於他們的參與以及活躍於藝文界，英國工藝美術運動不僅提出傳統工藝的美學價值，同時藉由結合工藝與設計，提昇工藝的創作能量與設計師的社會地位。

莫里斯不但著作豐富，實際從事產品設計與行銷，而且在英國各地倡導以聯盟或協會方式組織地方人士推展與生活結合的藝術，堅信「所有的藝術的眞正根源和基礎存在於手工藝之中」。在研讀這一段歷史時，我最感到興趣的是爲什麼在當時以工商爲主流的英國社會能夠出現像工藝美術運動這樣反工業，反現代化的設計思潮，而且能夠流傳至今，貴爲現代工藝美術的源頭？

莫里斯最被引用的一段話，「家裡不要留下你不知道有何用途，或是你不認爲漂亮的物品」。這段話道出英國工藝美術運動對於居家生活的想法。莫里斯雖然活躍於藝文界，熟識美術界的前拉菲爾風格，但是他並不以藝術家自居。他的創作目的是爲了實踐藝術民主化，藉工藝設計將美感普及到一般人家庭。他一生以當時的社會主義，以造福勞工大眾，倡導平等的觀念爲終身志業。在當時工商資本當道的英國，莫里斯及工藝美術運動成員展現了知識份子的理想性格。因著這種理想性，後人都推崇莫里斯及工藝美術運動在設計的才華及貢獻。近年來開始有倫敦政經學院的學者提出以十九世紀經濟層面來看待莫里斯的設計。莫里斯死後留下一筆可觀的財富，除了身爲眾人稱道的設計師，他更是一位精明成功的生意人。這才使得英國工藝美術運動的推廣層面增加了商業設計的角度。

莫里斯27歲成立設計公司，全心致力於工藝產品的開發設計。舉凡染織、木工家具、平面設計等等都親自學習技藝，多方面涉獵。其中尤以紋飾設計，如壁紙紋樣聞名於世。莫里斯從商業著手，因此他的作品從來就不只是應用美術博物館的收藏品，現在世界各地都可以發現他的蹤跡。各位讀者可以在倫敦大街的百貨公司，如 Regent Street 的 Liberty 或 Sanderson 買到莫里斯所設計的布料、織品，或工藝美術運動其他設計師的家具及金銀器。在美國東西兩岸也可以發現工藝美術運動風格的建築物及住家佈置。莫里斯及英國工藝美術運動在日本除了其人文設計思潮對民藝運動有深遠的影響，二次大戰後也曾經透過進口英國商品而成爲一種流行的歐風居家時尚。台灣在近幾年也可以看見進口的莫里斯織品。

而活了62年的莫里斯如果走在現在的台北民生東路店家，看到台北的標價，再

作品：扶手椅（1915）
作者：恩尼斯特‧吉姆森（Ernest Gimson）
取材：橡木材質、藺草椅墊
尺寸：114 × 64 × 44 公分

對照台灣每年約一萬三千美金的國民年收入，我想莫里斯一定會像他死前的前幾年般，覺得自己是一位失敗的設計生活推廣者。因為英國工藝美術運動要以工藝普及眾人生活環境的理想，到頭來卻被供在昂貴的精品店，成為有錢人才能用得起的時尚名品。莫里斯矢志以工藝設計美化每一個家庭，其作品竟然與他日夜關切的勞苦眾生遙遙相隔，僅能為有錢的中產階級家庭錦上添花。

矛盾的莫里斯理想與實踐成果

莫里斯設計公司的美麗作品雖然受到中上階級青睞，而引領當時中產階級的居家風格，但是莫里斯晚年對於自己的設計卻開始感到懷疑。因為手工成本過高，工藝運動終不敵機器量產的市場價格，使得工藝品成為少數人享用的高檔貨。莫里斯有感於工藝設計的挫折，最後將其關懷勞工的熱情訴諸於政治。這位才華洋溢的知識份子晚年並沒有因為參與政治而怠慢工藝創作，至死仍致力研究英國傳統印刷字體，出版英國文學以及工藝美術運動重要經典著作。莫里斯及英國工藝美術運動創造了一個工藝設計傳奇。他們注重品質，忠於手工製作的細節，更加上美術設計的運用。英國設計史家 Naylor 認為工藝美術運動對於工藝設計的意義並不在於其設計風格的建立，而是在於拓展工藝創作的理念思想，以及其製作工藝的動機與精神。工藝美術運動提出了本土材料與形式的本質探討，以及工藝設計的社會價值，同時也提出美術與工藝的相關議題。知識份子

的社會關懷，透過美學的精神層面的擴展，打破了其技術與材料的限制與實用的侷限，並將工藝提升到藝術創作的境界。也因著知識份子的參與，現代設計師得以提昇其社會地位。

莫里斯也創造了一個弔詭的工藝與機械共存的難題。在當時全英國樂觀地望向未來，莫里斯卻選擇擁抱過去的傳統。就其倡導的理念與結果而言，工藝美術運動是個失敗的例子。因此工藝美術運動在設計史的評價，褒貶參半。著名的設計史家 Pevsner（1936）稱英國美術工藝運動為傳統工藝的文藝復興，並推崇莫里斯為近代設計的先驅。莫里斯及工藝美術運動的影響力遠播各國，在當今英國設計界一直是研究的顯學。然而 1920 年代的未來主義者卻譏笑拉斯金與莫里斯對於機械動力與電力的憎惡，戲稱兩個人對於古董的喜愛，好比不願長大的小孩只願意停留在童稚時期。工藝美術運動的憎惡科技，因此變成了現代主義者恥笑的把柄。當代英國設計史家，如 Woodham（1997）就認為工藝美術運動是一個工藝產業現代化失敗的例子，對於其在英國的工藝美術獨尊的地位不以為然。

姑且不論工藝美術運動在工藝美術史的成敗，我認為工藝美術運動對台灣的另一層的意義在於各國對於莫里斯理念的詮釋與應用。工藝美術運動雖然以人道精神為出發點，然而所提出的社會觀卻與當時現實科技背離。進退兩難的困境，以致於他們的產品最後只限於可以欣賞他們的社會菁英份子。拉斯金與莫瑞斯終其一生似乎都在向一群漠不相關的大眾宣揚新生活

作品：金墜子（1900）
作者：阿闕伯爾德‧諾克斯（Archibald Knox）
取材：黃金、中央是月長石、周圍有琺瑯的葉子設計
尺寸：4 × 2.5 公分

作品：花器（1908）
作者：沃爾特‧克連（Walter Crane）
取材：手繪彩色陶器、釉彩、基台有設計者與
製作者的姓氏縮字圖案
尺寸：27 × 18 公分

理念，而導致結果背離他們原有的理想。

　　反而是後來的德國人受工藝美術運動的精神感召，又在做法上拉進了工藝與機械的關係。德國的包浩斯成功地繼承了藝術民主化的精神，結合機械量產的社會現實條件，創出獨特的設計教育模式，影響遍及當今日本和台灣設計教育。法國則取其花草自然的設計風格，結合當時歐陸深感興趣的異國趣味，創出設計史上獨特的風格作品。日本則深受工藝美術運動回歸傳統的精神啟發，由東京大學美學家柳宗悅闡示日本傳統工藝的美學價值，由出版立論結合工藝家的作品，提出工藝設計史著名的民藝運動。台灣要學習工藝美術運動的什麼要素呢？

　　就紋飾設計而言，工藝美術運動的設計元素與台灣原有的色彩與線條大大不同；我們缺乏可以產生德國包浩斯的時代條件與工業設計的需求；我們工藝文化中

也缺乏像日本淵源的藝匠魂魄，可以結合武士道禪宗的哲學傳統。

針對台灣當前已發展出的社區意識與政府推廣生活工藝的決心，我個人認為工藝美術運動如何在英國本地推廣及教育當地人民的各種實踐模式最為恰當。莫里斯終身以工藝設計師積極地參與社會公共事務，並以商業交易進入中產階級家庭引領風尚，他的弟子們也承繼著這種以工藝設計服務社會的思潮。如Lethaby投身設計教育，專注於培養英國本土的設計師，推展出符合工藝美術精神的設計課程（今之倫敦聖馬丁藝術設計學院前身）；Ashbee則以積極入世的態度在貧民區設立工藝研習班，教導勞工學得一技之長。爾後更帶領貧困的工匠們到英國鄉間籌建工藝村，以求自給自足的生活（藝術村今日已成英國國家古蹟及觀光景點，當地依然有當年遷居此地的匠人後代從事工藝）；Crane專注於工藝美術創作，代表英國工藝在國際上的技藝與聲名；而莫里斯的女兒以編織刺繡為工具，教導婦女習得一技之長，以求經濟獨立。並且積極爭取婦女投票權，為婦女福利奔走。而透過婦女力量及其在家中的角色，在普羅大眾間發揮了相當重要的教育功能。

英國政府官方則相信透過研究過去的作品，可以提昇設計品質與人民的生活。所以採實務路線，相繼成立了工業設計學院（皇家藝術學院前身），以及應用美術博物館（維多利亞及亞伯特博物館前身，該館今日已成為當今最重要的應用美術設計博物館之一）。同時創立了至今在歐美國家依然沿用的民眾每周一日免費參觀博物館的首例。一百多年的實踐過程十分多元，在此無法詳述，而這麼多樣的行動過程中，都對今日英國人民的人文涵養有所貢獻，也有許多值得我們學習的方法。

從莫里斯看台灣工藝的定位

莫里斯及英國美術工藝運動作品來台展覽，是台灣應用美術與工藝設計的一件大事。本文不談這個展覽的作品內容（content），而大量著墨於莫里斯以及英國工藝美術運動的社會脈絡（context）。莫里斯是第一位把英國思想家拉斯金的烏托邦理想，賦予具體行動，致力於美術設計與社會理想的實踐者。這個展覽除了技術造形開拓我們的眼界之外，從工藝設計史的角度來看，我認為這個歷史案例提供了台灣工藝三個思考點。一是英國美術工藝運動的社經背景，讓我們了解到工商社會轉型的實驗過程。其思潮理念深深反映了知識份子對於社會的責任與熱情，其做法成敗則毀譽參半。二為推廣工藝設計的美學基礎與文化自信心。三是世界各工業先進國家詮釋學習莫里斯及英國美術工藝運動的模式。

莫里斯身兼才情洋溢的設計師，精明能幹的商人，以及帶有革命情懷的政治活躍份子，而他那些深信工藝設計可以改進英國生活品質的弟子們，則認真從事各種工藝設計的教育推廣。從商場交易進入中產階級的家庭，從博物館及設計教育培養設計師，從社區婦女力量充實大眾的休閒品味，以及從寫作出版推廣設計的理念，這些多元方式在在展現了英國知識份子對

於社會的關切。

我認為這個展覽提供的如當時知識份子扮演的角色,設計師在社會的地位,設計工作坊的起源,自給自足的工藝美術村,還有公共文化機構,如博物館以及學校在設計推廣等等議題,都可以啓發我們的工藝設計學界,政府單位,以及所有有心台灣工藝設計的人。而我們似乎急著找尋自己的過去,卻很少抬起頭來審視外來文化的社經環境與文化優勢,或是從細節中跳脫出來看文化交流的模式。我相信唯有深諳這個啓動現代工藝設計的工藝美術運動的背後理念,我們才能更清楚地看出所有曾經面臨工商科技轉型的先進國家走過的困境與成果,以及台灣工藝目前的位置。了解台灣在整個人類工藝設計史所處的發展,我們才能參與當前全球化的辯論,看清自己工藝文化未來的定位及方向。

作品:有翼獅子捕魚圖/波斯風裝飾盤(1888-97)
作者:威廉·德·摩根(William De Morgan)
取材:手繪彩色陶器
尺寸:37 公分 in diameter

從威廉‧莫里斯
看台灣工藝新生活運動

●台灣工藝之店●台灣工藝之家●工藝巷弄

資料
提供　國立台灣工藝研究所

　　威廉‧莫里斯在十九世紀倡導英
國工藝美術運動，鼓勵回歸傳統工
藝精神，而在台灣由行政院「挑戰
2008—六年國家建設發展計畫」之
文化創意產業—傳統工藝技術之推
廣計畫，透過「台灣工藝之店」、
「台灣工藝之家」及「工藝巷弄」的
設置，期望維繫本土工藝之綿延，
讓台灣工藝更加生活化。

依據行政院「挑戰二〇〇八─六年國家建設發展計畫」之文化創意產業─傳統工藝技術之推廣計畫,「台灣工藝之店」、「台灣工藝之家」、「工藝巷弄」之設置與活動目的在鼓勵大家在日常生活中用工藝,以體驗並理解生活週遭的另類美感。

此種美感不同與大量機械生產製造的機械理性美,而是純手工製造才得以表現出來的不規則曲線與自然的機能美,並經由學習工藝後,引發對工藝價值的注意與認同。從做工藝中,感受自然恩惠產生珍惜資源之心,重新對生活有所體認,進而誘發創新改革行動並主動與眾人分享,創新的生活樣貌。

相關於工藝與生活連結的各種構想與實踐都可以說是「台灣工藝新生活運動」的一部份,例如隨身攜帶環保筷子、杯子,減少「用後即丟」的行為、上超市自備購物籃的行為,如果取代塑膠與免洗筷子、杯子、購物籃的是工藝,那也是「台灣工藝新生活運動」的實踐。

屬於地方自己特色的社區美學仍然在各地摸索之中,要用水泥、不鏽鋼還是木材,或者水泥仿造竹材,或者保持原材料味道?我們對於生活中的美以及美與用的衝突等還不容易有自己的分辨與主張,因此只有讓我們都再度回到生活的現場,重新洗鍊自己的感覺。這就是「台灣工藝新生活運動」的提言,要鼓勵大家用工藝、做工藝,使個人、家庭與社區能建構自己的生活美學,使工藝深入每個家庭與社區的生活中。

● 台灣工藝之店

「台灣工藝之店」的設置,係為建立完整的工藝發展機制,協助優良工藝品行銷展示至全國各角落,藉由廣設優良工藝品之展售點,可營造有各展售場所之文化氣息,提昇其企業形象與增加業績成長,對台灣工藝品促進行銷有實質的助益。

● 台灣工藝之家

「台灣工藝之家」之設置,旨在建立工藝發展機制,肯定優秀工藝家之卓越表現,除增加優秀工藝家榮譽感外,更可使社會大眾感受工藝創作的文化意涵、工藝在生活中所扮演的角色,讓人民瞭解工藝、喜愛工藝、愛用工藝,進而重視工藝,對啟發工藝創意、培養研究創新有正面的意義。

● 工藝巷弄

「工藝巷弄」選拔活動,意在增進工藝文化的創造力以及社區居民對在地認同的奠基與參與,希望由社區居民的創意來告訴社會大眾,他們如何利用在地工藝來充實美化在地的巷弄空間,具體、創新的呈現地方特色風貌,是一條生機盎然的巷弄,並引發共鳴進而擴大為整個社區以至鄉鎮的工藝新生活運動。

圖片提供／國立台灣工藝研究所

Spanish Contemporary Ceramic Exchange Exhibition

西班牙陶藝交流展

場次 1
時間：2004 年 11 月 6 日至 2004 年 11 月 28 日
地點：國立台灣工藝研究所 / 台北展示中心（台北市南海路 20 號 9 樓）

場次 2
時間：2004 年 12 月 11 日至 2005 年 2 月 20 日
地點：國立台灣工藝研究所陳列館（南投縣草屯鎮中正路 573 號）

場次 3
時間：2005 年 3 月 10 日至 2005 年 5 月 22 日
地點：高雄市立美術館（高雄市鼓山區美術館路 80 號）

指導單位：行政院文化建設委員會
主辦單位：國立台灣工藝研究所、高雄市立美術館、西班牙阿爾甘達拉陶藝文化學會
協辦單位：中華民國外交部、西班牙文化部、駐西班牙代表處、西班牙倍利建築公司、藝術家
雜誌、西班牙商務辦事處、中華民國西班牙舞蹈協會、靜宜大學西班牙語文學系

西班牙陶藝交流展

風華登場

陶瓷就像藝術的語言—

不限取材、不拘泥形式，更無視技術界限的存在

文
荷西米蘭達
Jose Miranda　本展西班牙籌備委員

翻譯／石雅如

作品：建築一（2003）
作者：赫穌凱斯塔農
取材：赤黏土。
技法：手壓模。燒成溫度1030度
尺寸：28×6×12公分

一如西班牙人的民族性，西班牙陶藝的傳統特色素以活潑華麗著稱。「西班牙陶藝交流展」內容涵蓋了二十世紀初期至當代三十餘位陶藝家的作品，共有七十餘件，範圍可說是相當地廣泛，作品或有遵循古法、或有顛覆傳統，特色與類型十分豐富多變，國人不僅可由本展認識西班牙的浪漫與熱情，也可窺見其內斂與深沉的一面。

2005年為台灣生活工藝運動元年，透過本次陶瓷交流展的舉辦，使民眾有機會暸解西班牙的陶瓷發展概況及人文之美並慢慢培養視覺、聽覺、嗅覺、味覺及觸覺的美感經驗繼而提升審美的層次，在真實的情境社會中把美學帶入各個領域，並期盼國立台灣工藝研究所繼續致力於國際間文化交流工作，擴展台灣文化的國際新視野。

跟不同文化的迷人藝術接觸，可以使我們了解不同的文化，因為藝術是深度展現文化的態度與觀念。誠如辛西雅傳立蘭（Cynthia Freeland）所言，文化藝術沒有任何的主觀性：「儘管藝術可以表達文化價值，但彼此間並非完全相同、也非相互附屬或毫無相關的。」最單純的例子往往在繁複交流下產生影響。藝術總是受文化接觸影響。像一開始看起來粗劣，欠缺原創性的模仿，最後卻轉化成為藝術形式上的特色。例如：「土耳其風貌」藝術的埃斯奈克（Iznik）瓷磚，這類瓷磚多採用牡丹、玫瑰、龍和鳳凰等中國藝術的圖案，正是反映出當時土耳其官方對中國瓷器的喜愛。

　　不同文化交流的正負面評價很難加以釐清。好比西方的藝術幾世紀以來深受東方影響；中國瓷器除了為波斯所仿效，其他還有義大利彩陶、荷蘭德夫（Delft）陶瓷及英國骨瓷都受到影響。16和17世紀歐洲開始首波仿效中國瓷的風潮，歐洲工匠嘗試生產擁有東方陶瓷的通透性與硬度。但法國聶沃斯（Nevers）、德國法蘭克福及柏林的嘗試紛紛失敗。最後，終於在1708年德國的梅森（Meissen），誕生了第一個類似中國的瓷器。這種製作技術後來引進維也納，接著遍及整個歐洲。所以歐洲陶瓷喜歡採用東方的異國色調的趨勢，正是反映一連串豐富交流的結果。

　　西方陶瓷器自史前時代便被視為藝術品（大多數屬雕塑性質），由於特殊的燒煉過程、脆弱性及為普遍實用的容器，更容易聯想到的是她僅次於石頭（主要是大理石）及金屬（尤其指銅器）等貴重物品的地

位。大部分時間裡，陶瓷被視為雕塑品，直到二十世紀初期的先趨派出現，運用新的材質，漸漸抽離先前觀念，朝向藝術發展。

　　那時由於化學的進步，使得陶藝家在估算釉藥與胚土的調和比例上獲益良多。因此讓洽普烈特（Chaplet）、布爾頓（Burton）或是泰勒（Taylor）等陶藝家，開始研究釉藥的系統。儘管陶瓷作品有達到一定的水準，但是卻依舊著重裝飾，沒有特別用途。甚至在很多次與繪畫的藝術論

作品：未來車站（2003）
作者：恰羅西瑪斯
取材：耐火土和氧化物
技法：耐火陶土，黃色釉，瓦斯窯燒，燻燒。燒成溫度1000度
尺寸：57 × 16.5 × 10公分

戰中，他們不但置身事外，甚至還砲口向內。不過已經有人嘗試要抽離陶瓷的實用部分，轉而創作絕對抽象的作品。此時嘗試賦予陶瓷「藝術」之名的先鋒們出現了，無論是從事陶瓷工業的人員或是頗負盛名的藝術家，皆受到陶瓷的吸引，著迷於東方作品，並因此激發他們嘗試採用新素材。

在他們之中，西班牙偉大的藝術家畢卡索（Pablo Picasso），可說是從事形式設計、發展陶刻與浮雕技巧的第一人。畢卡索不但使用天然素材（黏土、砂和石英等），也運用加工材料（燒粉、玻璃），或是為燒結技術進行相關取材。他是單一作品與限量定版藝術陶瓷的創始者。畢卡索運用泥土、形式與釉藥的自由狂放，加上他在其他領域的崇高聲譽，挾帶廣大支持，造成歐洲人士不再對陶瓷感到陌生。名家的出現使得陶瓷被推向藝術與手工藝的分界線上。繪畫與陶瓷的結合正好豐富創作，畫家獲得革新與支配新工具的權利，進而將概念具體化，終於發現到以陶

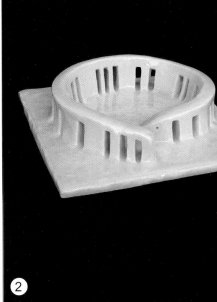

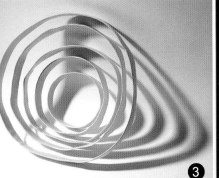

① 作品：尋找盒裡的空間二（1999-2002）
作者：卡列斯維貝斯
取材：耐火土，陶土及「試驗性」坏土
技法：先在外表敷一層白色化妝土，以強化對坏土激發的效能。燒成溫度在1250至1260度之間
尺寸：每件皆為 13 × 11 公分

② 作品：迷宮到建築系列一（2003）
作者：瑪莉亞波菲爾
取材：瓷土
技法：1280 到 1300 度高溫還原燒。
尺寸：5.5 × 21 × 21 公分

③ 作品：度量衡（2003）
作者：羅莎柯爾第耶拉
取材：軟瓷
技法：陶板成形後磨光
尺寸：40 × 40 公分

土作為雕塑與繪畫工具的可能性。不了解陶瓷領域的創作者介入陶瓷，反而促進了不同形式的誕生與創新。他們不限取材不拘泥形式，更無視技術界限的存在，進而推動新可塑性的發展。從畢卡索（Picasso）到米羅（Miro），奇伊達（Chillida）到塔皮耶斯（Tapies），蒲連薩（Plensa）到巴賽羅（Barcelo），以上橫跨三世代的西班牙藝術家們，以精緻完美的作品獲得肯定。陶瓷就像藝術的語言，而繪畫與雕塑正是推動這個百年工藝的首要功臣。

先驅派及新先趨派的經驗豐富，他們在規劃技巧與材質方面全然的自由解放，使得新的描寫、象徵及形式的可能手法逐一加入創作。一開始有喬瑟夫由廉斯艾第加斯（Joseph Llorens Artigas），安東尼塞拉（Antoni Serra）及安東尼古梅亞（Antoni

Gumella）等，與他們合作的藝術家有高第（Gaudi）、畢卡索（Picasso）和米羅（Miro）。然而關於陶瓷的雕塑研究，一直到六〇年代才由阿卡迪歐布拉斯科（Arcadio Blasco）、安立克梅斯特雷（Enric Mestre）、艾蓮娜科爾梅洛（Elena Colmeiro）等人手中開始。他們可說是西班牙陶瓷雕塑的開山祖師，從不同的視覺觀點延伸出嚴謹的規範，像是恣意發揮的物件、陶壁和擺設裝置。承接在他們之後的新世代，發展出簡約的作品，涵蓋了西班牙近三十年來的潮流。此次交流展正是反映上述趨勢，與西班牙陶瓷界近年來展現的企圖心。希冀可以促進西班牙藝術家在國際體系中的競爭力與能見度。

西班牙陶瓷界反應當代創作的複雜與多元性。西班牙陶藝家們協同其他藝術領

作品：C 混凝土上的窗戶（2003）
作者：阿古斯丁路易斯德阿莫多瓦
取材：紙張與陶瓷
技法：氧化金屬和瓷土，1300 度燒成
尺寸：90 × 40 公分

Ventana LI

域，與其他發展陶瓷的國家，像是歐洲、美國及日本，正在進行完美的共振協調。儘管住在不同的地區，他們的作品展現出的個人座標遠大於疆域差異。換句話說，陶藝家的認同在於展現個體性與國際性，目前他們最感興趣的是全球性的陶瓷創作。尤其對世界性陶瓷創作與深層的藝術轉變感到興趣。新型態的要求在於：藝術創作目前與其他領域相互影響，材料內容方面，要接受繁複的解析，並且必須採用新的工具。但是這樣大膽接納現代藝術，並非意味著陶瓷無可救藥，反而是為了不要傷害他，並繼續陶瓷單純的表現手法與目的。

璜保得亞（Juan Botella）寫道：「從中產階級專屬的裝飾品與傳媒的圖像（參見 Jeff Koons）到回歸原創性（參見 Miguel Barcelo），陶瓷在面對現代藝術的問題上，以獨特恰當的表現手法進行轉變。」在「物質」與「靈性」這兩種極端的認知中來回擺盪，正是表現出現代藝術的潮流。陶瓷以最佳姿態，從偉大文明傳遞到部落世界，反之亦然。陶瓷的悠久古老不牴觸他的現代性，相反的，陶瓷完整展現自前蘇格拉底時代以來，強調人類與土、空氣、火等生存基本元素之間的關係。

另一方面，近來展開與其他文明形式接觸的交流運動中，尤其在與東方的交流中最為突出。遠東地區珍貴的陶瓷，累積數千年的發展未曾中斷，東方以非功利主義的哲學，將原本實用性質的器皿加以內化。是以在東方，一個茶杯不僅止是一個容器，也可以說，一只壺在東方可能充滿了靈氣。我們看到了當代西方試圖提升至一個東方可能從未間斷過的層級。

作品：模數（2002）
作者：費南多加賽斯
取材：耐火土、沙岩土、瓷土和黃金
技法：九件模組皆以拉坏機作成雙夾層，並以不同的陶瓷坏土和化妝土裝飾
尺寸：40、35、25、17 × 24公分

西班牙陶藝交流展
▶ 作品賞析系列

圖文提供 國立台灣工藝研究所

作品：無題（遇見系列，1993-1998）

作者：艾蓮娜柯爾梅羅

取材：碳化矽（金鋼砂）

技法：化妝土、氧化劑。燒成溫度：1500 及 1200 度

尺寸：50 × 32.5 × 11 公分

在充滿激昂創作力的先驅派時期，論起陶瓷雕塑發展的開拓者，絕對少不得艾蓮娜柯爾梅羅。從八〇年代末期開始，她陸續推出作品。

與其他學科的對話豐富了她的創作，並使她在新裝置領域上提供了出發點。其透視手法，與其他表現風格的交互渲染，創造與想像結合的挑戰性，贏得大眾的喜愛。

其作品在隨緣的尋覓與對話中善用偶然。沒有譁眾取寵，只是對話機制的建立。透過對話的溝通，彷彿進入了不受干擾、經自然演變的原始材質中。

作品：同伴一（2002）

作者：維多埃拉索

取材：上釉白陶土

技法：陶板塑形及上釉氧化燒。燒成溫度：1050度

尺寸：每件作品皆為 60 × 25 × 5 公分

埃拉索的作品基礎形式多為幾何結構的雕塑。這位藝術家的另一特點在於運用閃亮的色彩。作者使用的色彩，雕塑家多已不再使用。單色雕塑的抽象層級不應被判定比彩色雕塑高，因為所處情況並不一樣。其實色彩傳遞資訊的價值比可塑性要高。色彩會吸引眼睛的注意，增加表現價值，讓形式更加突顯出來。

對作者來講，主要的困難在於：「燒製過程不僅改變雕塑的規模與張力，色彩更是在結束時帶給我們驚喜。」

作品：城市註腳（2002）
作者：安娜瑪莉亞愛爾南斯
取材：照片網版印刷於耐火上釉陶瓷
技法：燒成溫度：素燒1000度。釉燒1240度。油性顏料900度
尺寸：44×25×8公分及41×25×8公分

作者尋求介於群眾和個體之間的相似處，同時揭露兩者間的對比性和歧異度。

固定的線條，嚴律的幾何，混凝土的輪廓特徵自然成形。在浩瀚城市的影像中浮現人類的蹤影。在單調的城市中巡航，尋求不同的跡象。最後體會到要終結千篇一律的僵硬呆板，絕對少不得人，更加突顯了人群的重要性。

作品：永遠的艾伊魁（2001）
作者：瑪多拉
取材：耐火土
技法：耐火土燒至 1280 度。氧化燒
尺寸：33 × 27 × 11 公分

　　在開啓新技術的藝術風潮中，瑪多拉是最具代表
性的人物之一。她提倡耐高溫材質，如耐火土、瓷土
和強化色彩的氧化劑。由於耐火土特殊的粗獷與質
性，對瑪多拉作品中所要呈現的岩石般特性，表達得
恰如其分。她拋棄矯揉造作的工藝，企圖恢復材質與
藝術行爲的最初表現。

　　她在結合奇妙的、具象徵性等不同藝術層面的能
力，十分突出。擅長將時間的腳步，豐富可塑性的傳
遞、表達力與激情等等訊息，加以組織回應。作品中
的遠古象徵是在向我們展示她再現過往的能力。作者
試圖向我們傳達充滿靈性的大自然。

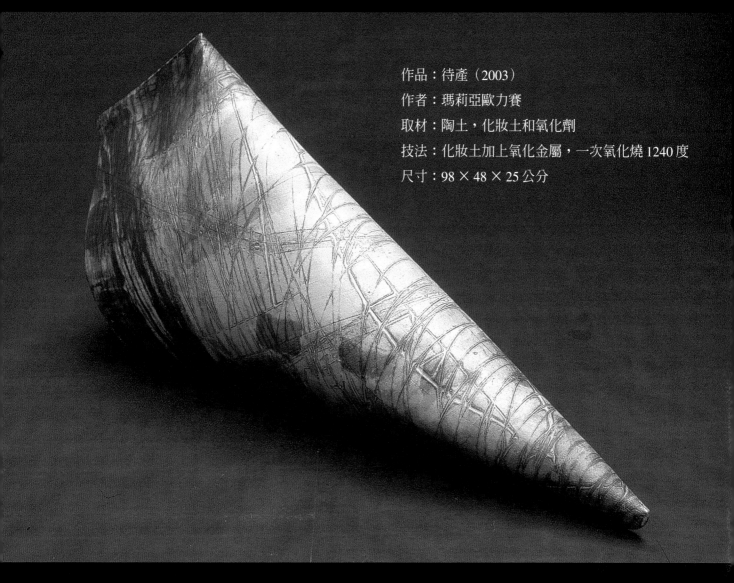

作品：待產（2003）
作者：瑪莉亞歐力賽
取材：陶土，化妝土和氧化劑
技法：化妝土加上氧化金屬，一次氧化燒1240度
尺寸：98×48×25公分

　　瑪莉亞歐力賽以簡單創作形式，分析美學及概念對她的貢獻，並將陶土的運用簡約化。她所呈現的作品，擺盪在原始抽象與現實薄弱相交之處。

　　作者將純粹形式加以修飾，以材料表現張力，而抽象則好比奇妙的軀體，是感知的關鍵所在。瑪莉亞發現形式與表面之間的關係，正是負載意義的工具，她認為：「形貌外表就像描寫觸感的音律，如同在物體上書寫文字，將作品在時空上定位，並提供文化表情。」

　　待產嘗試描繪尚未誕生的幼體，存在奇異的力量，好壞未卜，但是已有性別…

作品：驟然消失或瞬間的眞空（2002）

作者：安娜巴斯多

取材：沙岩土、釉藥及木椅

技法：陶土塊置於擺設的支撐物（布料、報紙…）和素燒陶土上，高溫
　　　上釉（1260度）至半白色成基座，在這之上形塑其他不同方塊

尺寸：42 × 42 × 37 公分

　　　無論存在與否，在這個短小時空裡，瞬間並永恆的缺席，人類的消失佔有決
　　定性的地位。

作品：五個相似（2003）

作者：拉斐爾貝瑞斯

取材：耐火土、赤陶土（terra sigilata）

技法：單一坯土藉由1150度燒成變形（一次氧化燒）

尺寸：每件皆為18×15×13公分

　　貝瑞斯的作品為我們揭開一系列從窯燒開始，無法想像的陶瓷遊戲歷程。拉斐爾貝瑞斯堅信陶瓷材質的表現力。熟稔陶瓷特性及界限所在的卡門鞏薩雷斯保拉斯（Carmen Gonzalez-Borras）認為：「如同近年來證明，不單是化學構成，也發現可以改變陶瓷物理屬性的方法，是可以預見並掌握的陶瓷的反應。假使可以操控陶瓷的可塑性，所有的創作手法都可以實踐。這都要感謝作者的創作律動，努力尋找獨特的表現力，加上不停研究新透視觀念的結果。」

作品：面向樹木的十四座陽台。藝術建築（2003）

作者：努莉亞皮耶

取材：15 個白、黑和 nerige 的耐火立方體

技法：壓模成形。燒成溫度：1200 度

尺寸：10 × 10，9 × 9，6 × 6，4 × 4公分

　　作品是由不同大小及不同色彩的立方
體加以協調構成。陽台是觀賞景緻的空
間……令人充滿幻想的陽台。根部隱藏在
土中，是樹木的一部分。根部雖然無法被
看到卻是賦予樹木生命的泉源。

作品：祈禱（2002）

作者：歐爾嘉維亞紐耶娃

取材：低溫瓷土、赤陶土和化妝土

技法：石膏模灌漿成形。以化妝土修飾磨光。中間的凹穴以赤陶土轉台完成，並以赤陶 sigillata 化妝土磨光修飾。第一次燒至 1020 度，第二次則以鹽還原

尺寸：70 × 20 公分

　　歐爾嘉維亞紐耶娃（Olga Villanueva）的作品表現簡約，擺脫多餘的裝飾，帶有明顯的考古風格，被視為新石器時代陶器的再生。在創作的過程中「開鑿」內在的通則，藉此將所有不必要的物體剔除，藉以呈現本質。

　　她將兩種背道而馳的方法加以結合運用。一方面施以獨家調配的化妝泥，尤其是 terra sigilata 的使用異常精確。當然還有磨光時間的嚴密掌控。此外，第二次窯燒以鹽還原，有時候採用有機物質，如：藻類，要知道化合物的運用及比率均衡全憑運氣，每一次的燒煉都是無法重來的。

壓花迎耶誕－親情卡

耶誕節一起堆雪人吧！

把卡片當作冬天遊樂場，用苧蔴堆起白色雪人，幫雪人戴帽子、披圍巾，再安排鮮豔小花與雪人作伴。

POINT
使用花草紙的小技巧

使用花草紙製作卡片，很有質感。在美術社或文具店買來花草紙後，先衡量所需的大小，以水沾濕要撕開的線條後，用手撕開，不要用剪刀剪裁。

STEP 1 準備材料

花　　材：琉璃菊、迷你玫瑰、小手毯、藍花
　　　　　楹、苧蔴、蕾絲、羽狀楓
其他材料：膠膜‧花草紙、珍珠筆膠水、金蔥粉
工　　具：鑷子、膠水

STEP 2 製作雪人

取兩片苧蔴(一大一小)，反方向相疊，小片苧
蔴放在大片苧蔴上方，當做頭與身體，就是一
個圓滾滾的雪人了。

STEP 3 穿上衣服

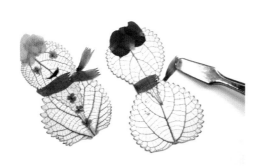

用蕾絲做眼睛，羽狀楓做嘴巴。再幫雪人穿上衣
服，小手毯做紐扣，迷你玫瑰做帽子，再圍上一
條琉璃菊做的紫色圍巾。

STEP 4 種花圃

將雪人黏在卡片上定位後，週遭種些小花小草，
黏上藍花楹、小手毯，讓雪人可以置身在花圃中
開心的笑。

STEP 5 抹雲彩

先塗上珍珠筆膠水，用棉花棒輕輕抹開，沾一些
金蔥粉，就做成天空美麗的雲朵，再貼上膠膜即
完成。

許一個純白的幸福

矗立在白色雪景中的橘色小屋，從窗口
燈光透露出屋內的暖意，兩人未來的幸
福，就由這條路延伸吧！

POINT

換景過節的小技巧　除了白色卡紙外，也可以用黑紙做背景，灑上金蔥粉，就是一幅浪漫的平安夜雪景。

STEP 1 準備材料

花　　材：四葉草、迷你百日草、早熟禾、黃連木、蕾絲、苦棟、小手毬、細葉鐵線蕨
其他材料：膠膜、金蔥粉
工　　具：鑷子、膠水、剪刀、棉花棒

STEP 2 製作小屋

將四葉草剪成四方形，當作屋身，再將迷你百日草剪成屋頂、窗戶的形狀，黏上去即完成一間間小房屋。

STEP 3 畫上山坡

在上方位置塗上珍珠筆膠水，用棉花棒輕輕抹開，沾些許綠色金蔥粉，做成後方的小山坡，再將小屋定位。

STEP 4 佈置家園

依序貼細葉鐵線蕨、黃連木、蕾絲、小手毬、苦棟、早熟禾，當作樹林與花叢，佈置出一幅夢想家園。

STEP 5 下雪了

耶誕節下雪是最浪漫的了，在卡片上灑一些些金蔥粉，當作雪花朵朵，再貼膠膜、黏上緞帶即完成。

專題報導

2004 Taiwan Craft Festival

攝影／陳界良

國立台灣工藝研究所依據行政院「挑戰二○○八國家發展重點計畫文化創意產業－傳統工藝技術」，以及文建會主委陳其南的「文化公民權」與「生活美學」等理念，藉由2004台灣工藝節活動，號召全國社區組織，發掘在地文化資源與創意活力，將工藝落實在日常生活。這樣的理念與目標，在工藝所全體員工與各地社區工藝家的共同努力下，雖然過程相當艱辛，但經過今年努力播種後，「工藝台灣」的種子已散播到全台灣各角落。

圖片提供／國立台灣工藝研究所

台灣工藝節
寫下一頁輝煌

文
陳界良 中國時報駐南投記者

國立台灣工藝研究所一隅。
（提供／國立台灣工藝研究所）

睽違多年的台灣工藝節，今年九月十八日正式登場，為配合行政院「挑戰二〇〇八國家發展重點計畫文化創意產業」計畫，台灣工藝研究所全體職員卯足全力，呈現出堪稱國內有史以來最豐富、多元的工藝系列活動，規模之大、內容之豐、創意之新，更勝以往。

九月十八日，象徵全國工藝最高榮譽的「國家工藝獎」在台灣工藝研究所三樓國際會議廳登場，來自全省各地的工藝家雲集，現場先以投影片方式介紹四十一件入圍作品，並比照奧斯卡頒獎模式，現場揭曉評選結果與進行頒獎，這場盛會也為今年台灣工藝節拉開幕序。

由於事先保密，現場氣氛緊張，評選結果今年國家工藝獎一等獎為楊偉林的編織作品「太初有字」，二等獎為謝嘉亨的陶作「寬容」與蘇小夢的金銀細工「如意鳳凰霞披」，三等獎為周妙文的陶作「細角」、李金生的陶作「赤子」與劉冠伶的紅銅「印象‧花開」，另選出十件佳作。

遊藝空間工藝裝置藝術展作品。

（攝影／陳界良）

國立台灣工藝研究所積極推廣工藝生活化。

（提供／國立台灣工藝研究所）

台灣工藝節，工藝饗宴自然不能少，工藝所陳列館展出「國家工藝獎」四十一件作品，這些代表台灣當代工藝菁華的精品，集合了台灣的傳統、現代文化、民族風格與工藝技術。此外，還有「工藝新人新藝展」、「工藝典藏珍品特展」、「工藝之夢特展」、「工藝博覽會」與「工藝裝置藝術展」等。

為讓工藝在全省各地紮根，推動「台灣工藝新生活運動」，工藝所串連歷年來在各地輔導的六十二個工藝社區，在台灣工藝節期間，分別在各縣市同步舉辦各式各樣的工藝文化活動，以象徵技藝傳承與永續發展，並在活動期間懸掛主題燈籠，突顯熱鬧的節慶氣氛。

工藝薪火相傳包括壽豐軟陶風采、植物染、鹿野花布燈籠、萬丹創意稻草娃娃、來義月桃編織、東港經典窯燒、內門竹工藝展、旗山藍染展、麻豆天柚裝置藝術、官田菱染創作、白河窯燒特色餐具與朴子市向日葵藝術展等，工藝所並編製活動地圖方便民眾參與。

工藝生活化，須將工藝與日常生活相連結，工藝所繼去年推動苗栗客家特色餐具後，今年進一步展開「台灣經典窯燒」計畫，藉由文建會經費補助，協助開發全省

台灣前輩畫家顏水龍為推動本土工藝的先驅，圖為其早期崁瓷作品「向日葵」。
創新陶瓷商品開發成果發表會。
（提供／國立台灣工藝研究所）

文、民俗慶典與校園活動舉行外，並邀請工藝師現身說法，與民眾分享創作心得，且安排工藝體驗ＤＩＹ等活動，對於帶動當地觀光發展也發揮相輔相成的效果，受到地方民眾與社團的熱烈迴響，反應超乎工藝所原先預期。

在工藝所推廣組服務的孫秀甘指出，為舉辦工藝彩繪列車活動，光是邀請各縣市文化局、工藝社團與鄉鎮市公所等單位，召開說明會就不下十次，原先僅規劃北中南東四個點，後來又陸續增為九個點，選定地點後還要一一前往現場勘查，規劃設置方式與動線等。

孫秀甘欣慰地說，第一站在台南麻豆總爺藝文中心開幕時，第一天前往觀賞的民眾三三兩兩，加上表演單位、工作人員等總共不到一百人，但這些民眾進入列車觀賞後驚嘆連連，直呼從來沒有看過這麼高水準的國家級工藝品，第二天參觀人潮立即暴增至二千多人。

民眾反應超乎預期，振奮了工藝所人員，多日來的辛勞也獲得回報。孫秀甘表示，一開始麻豆民眾對工藝列車似乎頗不以為然，但經過大家口耳相傳，很多居民、學校老師與學生等紛紛趕往參觀，不少向隔民眾還向鎮公所抱怨「ㄚ攏無講！哪有人只展二天而已！」

工藝彩繪列車開創國家級工藝品下鄉展出的先例，藉由工藝彩繪列車的啓動，讓鄉下地區的民眾不用遠赴都市，即能看到國家級工藝精品，提供國家級工藝與地方工藝互相交流的機會，以全面提升地方工藝的發展與水準，希望讓工藝在台灣各角落發光、發熱。

無論再精彩、再豐富的工藝饗宴，如果不能吸引民眾也是徒然。為擴大民眾參與，工藝研究所費盡心思，除在各項活動舉辦期間安排台灣古早的「宅急便」（腳踏車貨運）展演、傳統豆化品嚐等精彩、多樣化的節目外，也首創網路與現場票選工藝品活動。

針對入圍今年國家工藝獎的四十一件入選作品，工藝所也與中時電子報合作，推出網路觀賞入選作品與票選活動，並洽商三陽工業提供一輛價值約七十萬元的休旅車，作為票選抽獎的最大獎品，吸引不少民眾上網投票或前往工藝所陳列館展示現場參觀與投票。

這麼龐大、繁雜、令人目不暇給的工藝節系列活動，一定需要長時間規劃與龐大經費，其實整個計畫今年七月才定案，工藝所員工隨即總動員，展開各項籌備工作，簡直是在與時間賽跑。由於工作量實在太大，還有人累到差點昏倒送醫，整個活動預算約六百萬元。

文建會主委陳其南致詞時表示，十九世紀工業革命達到最高峰的英國，由於啓動生活工藝運動，從傳統工藝轉換到現代工藝，如果沒有生活工藝的理念，高科技工業設計幾乎不可能存在，希望藉由工藝節活動讓國人了解工藝的價值，充分體認工藝製作美學的精神。

工藝所指出，文化是區域居民生活的總體表現，工藝則是根植於民眾日常生活的藝術，也是地方、族群、民族文化的具體面貌。近年來台灣工藝在藝術創作領域上，已逐漸累積相當成就，但卻疏於生活工藝領域的經營，致使常民生活仍被規格

化、速食化。

　　工藝所依據行政院「挑戰二〇〇八國家發展重點計畫文化創意產業—傳統工藝技術」，及陳主委的「文化公民權」與「生活美學」等理念，藉由今年工藝節活動，號召全國社區組織，發掘在地文化資源與創意活力，將工藝落實在日常生活，營造社區生活美學，進而提升台灣生活品質。

　　這樣的理念與目標，在工藝所全體員工與各地社區工藝家的共同努力下，雖然過程相當艱辛，但經過今年努力播種後，「工藝台灣」的種子已散播到全省各角落，在台灣工藝發展史上，二〇〇四年台灣工藝節將會留下一頁輝煌的紀錄。

創新陶瓷產品「愛在成長貓」，打火石作品。
得獎作品展示現場。
（提供／國立台灣工藝研究所）

文化是區域居民生活的總體
呈現；工藝是根植於民眾的、日
常的生活藝術，是地方、族群、
國家、民族文化的具體面貌。近
年來，台灣工藝在藝術創作領域
上，已逐漸累積相當成就，然而
卻疏忽生活工藝領域的經營，致
使常民生活仍被規格化、速食
化。

主題
活動

主題
展覽

特別
企劃

台灣工藝節活動集錦

推動社區生活工藝，是2004台灣工藝節重點之一。
（攝影／陳界良）

資料
提供 國立台灣工藝研究所

國立台灣工藝研究所依據行政院「挑戰2008國家發展重點計畫文化創意產業－傳統工藝技術」，以及文建會陳主任委員的「文化公民權」、「生活美學」施政理念，全面推動生活工藝，舉辦2004年台灣工藝節，以「生活工藝‧社區美學」爲核心，擬定台灣工藝新生活運動五大宣言：

一、人人有權享有質精藝美的工藝生活。

二、每個社區都擁有社區工藝。

三、推動社區生活工藝營造地方生活美學。

四、促進文化交流共榮發展。

五、建立「工藝台灣」新世紀。

藉由2004年台灣工藝節活動，號召全國各社區組織，發掘在地文化資源與創意活力，將社區工藝落實於日常生活，以營造社區生活美學，進而提升台灣生活品質。

主題活動

一、工坊遊藝

時間：2004 年 9 月 12 日－ 11 月 6 日

地點：國立台灣工藝研究所

工坊遊藝活動旨在開放工坊（竹木漆工坊、染織工坊、陶瓷工坊、金石工坊）予民眾參觀，增進對工藝製作過程的了解及工藝之美的概念，以及對本所的認識，並透過 DIY 工藝之體驗以親近工藝，提昇對工藝品之欣賞與喜愛。

二、全國社區工藝薪火相傳

時間：2004 年 9 月 12 日－ 11 月 14 日

地點：全國各社區

串聯全國六十二個工藝社區，於工藝節期間，舉辦各式各樣豐富的工藝文化活動，並懸掛主題燈籠，以突顯活動熱鬧氣氛，象徵技藝傳承與永續發展，藉此分享心得並推廣工藝產業，以響應「台灣工藝新生活運動」。

竹工藝風車與圓缽。（提供／國立台灣工藝研究所）

三、草屯尋飽記

時間：2004 年 9 月 12 日－ 11 月 30 日

地點：南投縣草屯鎮

草屯鎮有許許多多的美食，此次配合 2004 台灣工藝節及 2004 草墩國際稻草文化節系列活動，透過特約餐飲業者的參與、呈現地方產業特色並帶動草屯週邊帶狀產業營運績效，藉此讓外地來賓進一步了解草屯社區。

活動餐飲業者包括：60#Cafe、風尚人文咖啡館、鐵道情火車涮涮鍋、東洋趣味茶藝館、飯田精緻餐飲、無餓不做治么的店、咖啡樹輕食生活館、憶松露香草餐房、大漢茶語、貴族世家牛排館。

四、 2004 台灣工藝節開幕典禮

時間：2004 年 9 月 18 日

地點：國立台灣工藝研究所

　　為呈現「生活工藝‧社區美學」2004年台灣工藝節的核心理念，以代表社區熱鬧又充滿活力的表演節目展開序幕，內容含蓋兒童百人健康操、管樂大合奏、太鼓樂團、民族舞、竹琴演奏、社區大合唱、交響樂等表演節目啟動工藝節所有活動。藉由頒發代表全國工藝最高榮譽的第四屆國家工藝獎，及邀請全國工藝團體代表、社區代表、暨青商總會會長、全國工藝大會師發佈「台灣工藝新生活運動」宣言及工藝薪火點燃儀式，並於夜間舉行施放工藝天燈製造活動高潮。藉由社區工藝彩繪列車的啟動，將台灣工藝節的熱烈氣氛帶到全國各地散播，帶動工藝節之參觀人潮。

台灣工藝節開幕傳統豆花品嘗。（攝影／陳界良）

五、工藝假日廣場

時間：2004 年 9 月 18 日－ 9 月 22 日

地點：國立台灣工藝研究所

　　活動包含工藝精品、農特產品展售、工藝家示範表演及工藝 DIY，參與民眾可以一邊喝著咖啡、一邊欣賞音樂舞蹈劇團的表演。節目內容有南投縣客家協會弦鼓班的「客家歌、客家情」、中興國樂社的「歡樂、台灣」、台中縣傑出演藝團隊的「九天民俗技藝團」等等。

工藝 DIY 體驗活動。（提供／國立台灣工藝研究所）

六、苗栗工藝產業交流中心及假日工藝市集

時間：2004 年 9 月 25 日－ 10 月 3 日

地點：國立台灣工藝研究所苗栗產業交流中心

　　為配合 2004 台灣工藝節全國動起來，苗栗產業交流中心舉辦了「山城工藝、陶色薰香」假日市集活動，精彩豐富的活動內容，有戶外草坪廣場的 30 家工藝展售，室內靜態展覽有老陶師作品展、典藏精品展、陶瓷娃娃…等展覽。動態活動有工藝 DIY 示範，陶笛、中國結藝免費教學，還有工藝品一元競標、摸彩活動、有獎問答等活動。 28 日中秋節當

二、工藝新人新藝展

時間：2004 年 9 月 12 日－ 11 月 14 日

地點：國立台灣工藝研究所 / 陳列館 3 樓

　　93 年度本所技術組工藝人才培訓成果展，計有植物染、藍靛染、竹編、金工、漆藝等五類科，展示各工坊技術研發與傳習的成效，呈現師生的創意與巧思，共築工藝未來願景。

三、第四屆國家工藝獎特展

時間：2004 年 9 月 12 日－ 11 月 6 日、11 月 13 日－ 12 月 19 日

地點：國立台灣工藝研究所 / 陳列館 2 樓、高雄市立美術館

　　93 年度國家工藝獎得獎作品展，集結了台灣傳統與現代文化、民族風格、工藝技術的當代台灣工藝精華。今年國家工藝獎有別於以往的型態，為了吸引更多人來關懷、參與工藝，舉辦了前所未有的「現場觀眾票選及網路線上票選活動」，目的在於增加作品的曝光率，也是對於入選作品做一番檢視與省思，給工藝家做另類的創作思考方向。

國家工藝獎展示現場（攝影／陳界良）

四、工藝典藏珍品特展

時間：2004 年 9 月 12 日－ 2005 年 2 月 27 日

地點：國立台灣工藝研究所 / 陳列館 4 樓

　　介紹本所歷年之典藏精品，以一系列方式完整呈現，為見證 1977 年迄今台灣工藝生活發展的軌跡與脈絡、演進的歷程。精選每一時期代表性的作品，作一完整呈現，讓民眾能深切感受台灣工藝從傳統到現代豐富多元的面貌。展覽主題分為三大系列：台灣工藝導師顏水龍先生作品及工藝創作類作品系列、地方產業系列（優良廠商）、當代作品系列 (競賽得獎)。

五、社區工藝博覽會

時間：2004 年 9 月 18 日－ 9 月 22 日

地點：草屯商工 / 成學樓

　　集結本所社區工藝技訓成果展、良品美器、台灣創藝各優良工藝業者的產品展售會。地方工藝團體的創作及工藝廠商多年的研發成果，以博覽會生動的展售方式帶動人氣，掀起活動熱潮。

六、第十二屆工藝之夢特展

時間：2004 年 10 月 2 日－ 10 月 19 日

地點：台南市新光三越百貨西門新天地

　　本展為一綜合大型工藝展覽，已與新光三越百貨公司合作十二年，每年安排台灣工藝設計競賽得獎作品、地方工藝產業、工藝家邀請展、工藝市集等約四、五百件作品共同展出，獲得極佳風評。展覽內容包涵了：創藝生活－第十二屆台灣工藝設計競賽、良品美器－2004台灣優良工藝品年度評鑑、薪火常溫－南投陶精品展、紙藝新顏－台灣當代紙藝特展、陶醉人生－謝志成先生作品展。

社區工藝博覽會現場。（攝影／陳界良）

工藝彩繪列車駛抵草屯。（攝影／陳界良）

一、工藝彩繪列車

時間：2004年9月11日－11月14日

地點：環島巡迴共九大站

　　台灣首創工藝彩繪列車環島巡迴展，深入地方展示工藝之美，內容有：國家工藝獎、工藝設計競賽獎、台灣優選良品美器作品等，並有工藝師現身說法分享心得、工藝體驗DIY等活動，是與地方、社區通力合作大展現。

　　第一站：台南縣麻豆總爺藝文中心／麻豆文旦節產業文化活動；第二站：國立台灣工藝研究所／2004台灣工藝節開幕典禮；第三站：苗栗縣西湖渡假村／工藝體驗週活動；第四站：台中縣豐原SOGO百貨／葫蘆墩漆器工藝展；第五站：高雄縣澄清湖／2004高雄縣大貝湖文化藝術節；第六站：花蓮市／城垣創意空間；第七站：新竹清華大學／2004知識嘉年華；第八站：義朴子市公所／向日葵花季；第九站：苗栗／國立聯合大學展覽。

二、生活工藝焦點座談會

時間：2004年9月25日、10月23日、11月13日

地點：國立台灣工藝研究所、國立台灣工藝研究所／台北展示中心、高雄市立美術館

　　全台北中南辦理三場座談會，主題分別為「傳統工藝新脈動」、「工藝建築環境」與「嗆聲工藝作夥開講」，思考台灣工藝未來之路，提供工藝實踐者分享經驗與擘劃願景的機會與場域。

匠作之手
植物染 DIY

透過植物染DIY的體驗，讓工藝活動更平易近人，進而提昇對工藝品之欣賞與喜愛。

圖文
提供　國立台灣工藝研究所

製作神奇的植物染布

1 先秤被染物重量。

2 將染材（被染物與染材比例為1：1或1：2或1：3）放置入清水中，清洗掉表面灰塵或不純物。

3 將洗淨後的染材放入清水中，浸泡10-15分（水量為被染物總重量之40倍÷3）。

4 將步驟**3**移往爐火上，開始第一次的染液萃取。

5 染液萃取時間為中火煮20分，至水沸後續持溫15分鐘。

6 以相同方法進行第二、三次之染液萃取。

7 將第一、二、三次萃取所得染液，混合為總浴量。

8 待染液降溫1-2小時，至常溫時即可開始進行染色。

9 被染物放入染液中浸泡，10-15分後開始加熱升溫。

10 染色時間為中火煮20分，至水沸後持溫續染20分鐘（溫度為90-95℃）。

11 關閉熱源，待其自動降溫至常溫。

12 取出被染物充分清洗、陰乾後即完成。

染材處理

萃取染液

綁染圖案

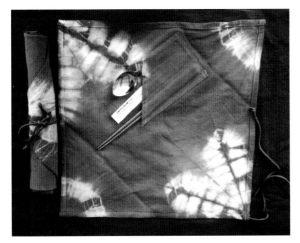

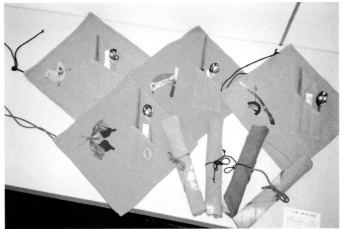

作品照

開始染色

陰乾

精彩預告

適逢「威廉‧莫里斯與工藝美術運動展」開展，希望藉由英國工藝美術運動精神的闡揚，作為開啟台灣生活工藝精神之鑰，故擬定2005年起為「台灣生活工藝運動元年」，實施各項活動計畫，以期擴大推動「台灣生活工藝運動」，藉以「宣揚傳統工藝精神，重建國民工作倫理」。

圖片提供／國立台灣工藝研究所、
半月陶工作坊、黍匋工作室

2005 台灣生活工藝運動元年預告

資料
提供 國立台灣工藝研究所

1864 年左右，英國的威廉‧莫里斯 (William Morris)基於藝術應為大眾服務及反機械化生產的醜惡，提出以手工為民眾創作生活器物的「工藝美術運動」 (The Art & Crafts Movement)；20世紀初日本民藝運動主張「用與美」的民眾工藝；20世紀中顏水龍承續威廉‧莫里斯及日本民藝理念，推動台灣工藝產業；21世紀初始，陳其南主委主張工藝是一種精神與生活態度，期藉由全民參與生活工藝過程中提升美學素養，推展公民美學運動。

2005年為「台灣生活工藝運動元年」，將宣揚傳統工藝精神，重建國民工作倫理。在策略目標上有五大方向：

一、啟發工藝精神與價值認同：
提供國民欣賞工藝的多元管道，啟發塑造全民尊崇從頭到尾全心投入、注重細節與過程的工藝製作精神。

二、樹立匠師精神典範：

　　重視傳統工匠之工藝技術基礎，藉以
　　發展現代設計，並期培育國民正確的
　　工作倫理與改變求速效的生活態度。

三、振興地方特色工藝：

　　促成地方政府結合民間團體的力量，
　　喚起社區居民的自覺意識，發展地方
　　的文化特色；並輔導各鄉鎮社區成立
　　委員會，視其原有特色而推動地方工
　　藝，以形塑台灣的地方工藝特色。

四、推廣生活工藝體驗：

　　提供國人做工藝的機會，使之在過程
　　中體會愉悅與價值，以鼓勵更多的民
　　眾投入生活工藝設計，廣泛培養其美
　　學素養，進而使台灣整體環境更具特
　　色、更具美感。

五、整理工藝文化業績：

　　整理台灣工藝技術、特色等文獻資
　　料，並蒐集典藏工藝之珍品及具保存
　　價值的傳統工藝機具，建立台灣文化
　　的主體性的業績。

　　2005「台灣生活工藝運動元年」藉由實
施各項活動計畫，擴大推動「台灣生活工
藝運動」，包括四大執行計畫：

一、藝動精神－2005生活工藝研討會

　　邀集官方、設計、工藝、文化、產
　　業、教育界各領域專家共同參與，論
　　述工藝哲學精神，重建台灣工藝文
　　化、生活哲學內涵；探討工藝精神、
　　文化、技術等各面向之傳承制度與實
　　務；引進日本生活工藝運動經驗，探
　　討建立重新連接生活的操作模式；借
　　用現代設計、行銷、教育理論，發展

傳統工藝的現代生活新意義與功能。
分「工藝哲學、工藝社區、工藝傳
承、工藝生活」四大主軸，辦理三場
專題演講、四場13子題之專題研討、
二場綜合研討。

二、生活工藝系列論壇

　　舉辦十場生活工藝相關之「專家論壇」
　　或「專題座談會」或「名人對談」，論
　　壇議題配合工藝精神與傳統技術的主
　　題，邀及產、官、學專家及名人共同
　　發聲，並討論政策施行的諸項問題。
　　論壇論述結合平面媒體專欄宣傳，並
　　於網路論壇供大眾參與討論。

三、製作「生活工藝年」CF

　　依循本計畫中心思想與配合相關活
　　動，向大眾宣揚工藝精神與生活美學
　　理念，號召全民一起來「做工藝、用
　　工藝、說工藝」參與生活工藝與公民
　　美學運動。

四、顏水龍與日本民藝展

　　展出日本柳宗悅等人推動民藝運動的
　　理念、精神、文獻資料及其相關作
　　品。呈現顏水龍先生的生活工藝理
　　念，對台灣的工藝演進的影響，台灣
　　工藝發展的歷程，作一脈絡的呈現，
　　讓國人能再次體會傳統工藝蘊含的人
　　文精神與台灣工藝的文化特質。日本
　　與台灣推動地方工藝發展的成功案
　　例。搭配日本與台灣資深工藝師傅，
　　運用工藝材料與工藝技法的介紹及示
　　範表演，以互動方式更直接承現工藝
　　精神與內涵。

　　2005年是「台灣生活工藝運動元年」，

「竹餐桌椅」，竹，顏水龍設計，李榮烈、許正製作。（國立台灣工藝研究所典藏品）

規劃為「理念凝聚期」；2005年至2007年則為「實踐宣揚期」，將工藝精神三面向實踐：

一、樹立匠師精神典範

「國家工藝獎活動計畫」成立國家最高層級之工藝獎項，宣揚傳統工藝精神與技藝，獎勵傑出匠師與傳統工藝典範，傳承多元族群文化傳統，並協助生活工藝量化生產，奠定現代設計穩固基石。「匠作之手—工藝匠師遴選及技藝影像紀錄計畫」遴選表揚工藝匠師在專職領域的經驗與傑出成就，並藉由工藝製作過程影像的拍攝，記錄其創作歷程，讓更多人能認識並動心於工藝師傅執著專注勤勉的工藝精神，透過匠師影像的示範與文化情境的詮釋，勉勵國人尊重自然與人性，從而認識、重建工作倫理，使工藝之精神成為普世的價值。

二、振興地方特色工藝

「工藝振興推動組織及規章建置」配合文化創意產發展法（草案）等有關傳統工藝振興專章立法之法源，推動相關執行規章，以有效整合工藝發展資源，藉以促成地方工藝發展之推動組織（傳統工藝振興委員會），奠立台灣工藝振興之基礎。

「地方工藝指定與輔導計畫」協助各鄉鎮社區，視其原有文化與自然資源之特色，指定或輔導協助各社區發掘及發展地方特色工藝，並成立「傳統工藝振興委員會」持續推動，以建立台灣各地方特色工藝，促進工藝產業與文化觀光發展。

「社區生活工藝輔導計畫」透過本所舉辦之工藝人才培訓班與社區手工藝訓練補助計畫，結合本所技術人員與社區工藝家之資源，視其原有特色或協助各社區推動發展生活工藝，以培養民眾的自覺意識，進而美化社區。「工藝技術傳承計畫」為深耕工藝產業土壤，透過建立長期工藝人才育成機制，定期辦理工藝技藝與產品企劃研習，培養年青工藝人能獨當一面發展、經營工藝事業的能力，並應用於創新現代生活工藝，透過工藝技能實務訓練去認知與發掘產品於生活中的意義，以助益於台灣工藝之長期發展。

三、推廣生活工藝體驗

「工藝與生活設計競賽展覽」以「傳統工藝創新」為主軸，鼓勵鼓勵國內民眾、大專院校、工藝界、設計界、建築界等共同投入生活工藝設計，發揮創意，將傳統工藝藉由現代設計帶入常民生活中，體現傳統工藝精神在現代社會中的價值，並重新賦予生活用品新生命；同時每年依時代趨勢議題，設定不同主題徵件，以引領生活工藝設計潮流。

「工藝體驗系列活動計畫」規劃一系列工藝體驗活動，與民間社團及公私立社教文化機構、工藝團體等合作，讓民眾能接觸工藝、體驗工藝進而使用工藝，享受「做工藝」中得到的滿足與成就。

「生活工藝網建置計畫」整合生活工藝運動各項推動計畫內容為知識庫，建置生活工藝專屬網站，提供民眾最便利之學習搜尋管道，以期推廣生活工藝的虛擬體驗。

2005台灣生活工藝運動元年，預期透過「威廉‧莫里斯」展，引導民眾認識19世紀工藝美術運動精神，啟發現代生活美學意識。並藉由日本民藝與台灣顏水龍的工藝理念、思潮脈絡再現，凝聚推動台灣生活工藝精神，發展當代台灣生活工藝運動。進而塑造傳統工藝精神之價值與人生觀，確立國民工作倫理與正確的生活態度；同時奠定傳統工藝技術基石，發展具有現代美感的實用工藝品，協助量化生產，建立民眾與設計者接觸的管道，發展文化創意產業。建立起台灣主體性與地方工藝特色，培育地方工藝人才，灌溉地方工藝的深耕發展。

文建會主委陳其南推動地方發展特色。
（攝影／陳信翰 中國時報資料照片）

「公民美學」紙藝術推廣工作坊

形塑台灣
巡迴全台紙藝環境藝術計畫

　　美國「傅爾布萊特」藝術家艾婕音(Jane Ingram Allen)，獲文化建設基金會贊助在台從事紙藝術創作推廣，於2004年10月至2005年6月間，於全國北、中、南、東及離島各地，辦理「公民美學」紙藝術推廣工作坊，歡迎有興趣從事紙藝創作及環境藝術的民眾踴躍報名參與。

資料提供 文建會

艾婕音利用手工紙製作台灣地圖。（攝影／王英豪　中國時報資料照片）

　　艾婕音(Jane Ingram Allen)擅於利用地方植物纖維從事紙藝創作，曾與樹火紙博物館合作，辦理「藍色的河流」地景藝術集體創作活動與手工紙工坊，並發表「Made in Taiwan」等特展，成績卓著。本項贊助計劃即源於2004年6月文建會陳其南主委參觀艾婕音女士的「台灣地圖」展覽，深切體認其社區參與的創作理念，並認為此計畫與「文化公民權」中社區發展及文化公民理念相當接近。因此在未來一年中，艾婕音女士將進駐台灣十二個縣市的接待單位，分別在不同的社區停留一至三週，並舉辦「公民美學」紙藝術推廣工作坊。工作坊現場除了示範紙藝創作過程，也將展出她的作品及為各社區創作新作

品。

艾婕音採擷各地特色植物，經過烹煮製成紙漿作成手工紙，為台灣不同城市塑造特殊的「在地地圖」，並結合當地藝術家、學生、老師和市民等人合力完成創作，呈現不同縣市的獨特重要性。每一個縣市的「在地地圖」製作過程，將成為不同社區的特殊記憶及文獻歷史記錄著當地的生活經驗。最後這十二份「在地地圖」將彙集成「Made in Taiwan－形塑台灣」大型裝置藝術，於2005年7月開始在台灣各地及國際巡迴展出。此外整個創作過程將由艾庭熙(Timothy S. Allen)先生以攝影、錄影方式記錄下來。

「公民美學」紙藝術推廣工作坊陸續在全台各地登場，歡迎有興趣的東北部民眾報名參與。詳細活動細節請上文建會網站：http://www.cca.gov.tw/cforum/jane/jane.htm

「公民美學」紙藝術推廣工作坊行程：

2004.10.18－2004.11.05宜蘭縣二結王廟社區中心

2004.11.06－2004.11.20台北市野鳥學會關渡自然公園管理處

2004.11.22－2004.12.05澎湖海洋生物研究中心

2004.12.20－2005.01.02金門縣文化局

2005.01.09－2005.01.22國立海洋生物博物館

2005.01.30－2005.02.12林業試驗所六龜研究中心

2005.02.20－2005.03.06嘉義鐵道藝術村

2005.03.13－2005.03.27國立台南藝術大學

2005.04.11－2005.04.17三芝資源資料工作室

2005.04.18－2005.05.01苗栗華陶窯

2005.05.09－2005.05.22花蓮縣文化局

2005.05.30－2005.06.19台東縣政府文化局

艾婕音

來自阿拉巴馬州的艾婕音為知名的美國裝置藝術家和手製紙藝術創作者，現居紐約州。1988至2001年，任教紐約州立大學莫里斯維爾分校；2001年起擔任位於艾爾巴尼的聖羅斯學院副教授。

艾婕音女士同時也是一位傑出的藝評和創作者，經常為SCULPTURE（雕塑）雜誌以及其他藝術雜誌撰文，並擔任獨立策展人。曾在許多大學、公立學校、博物館、藝術中心教授手製紙工作坊，並於美國各地以及世界上許多國家的藝廊與美術館舉辦個展。她的作品獲得包括紐約藝術基金會、中大西洋藝術基金會、美國國家藝術基金會、以及藝術家空間等單位的獎項與補助。曾在美國擔任數個機關的駐地藝術家，並赴菲律賓、日本、尼泊爾和巴西擔任駐地藝術家。艾女士目前的作品著重於會隨時間改變並有益於環境的裝置藝術，以及有觀眾參與、運用手工和其他自然材料的裝置作品。

（攝影／王英豪 中國時報資料照片）

編後記

本期為「台灣工藝」第十九期，時值年底，我們特別企劃了多項具有回顧、前瞻意義的精采專輯與報導，以饗關心台灣工藝現況及發展的讀者。

主要內容包括：今年台灣最大的工藝盛宴「2004年台灣工藝節」系列活動之完整報導與活動集錦，讓有興趣的讀者得以一窺全豹；因適逢「威廉·莫里斯與工藝美術運動展」、「西班牙陶藝交流展」等大型國際工藝相關展覽陸續開展，我們先行推出「威廉·莫里斯對台灣工藝的意義特輯」及「西班牙陶藝交流展」活動報導及作品賞析，讓讀者先睹為快。

此外，為了迎接耶誕節即將到來，我們也貼心的為讀者製作了「名家秘笈－手工壓花耶誕卡的魔力」，藉由DIY手工藝的推廣，讓工藝活動更平易近人，成為既有趣又實用的生活藝術，進而促進公民美學運動的推廣。

希望讀者喜歡本期內容，並繼續提供支持與指教。

William Morris

威廉・莫里斯

對台灣工藝的意義

特 輯

ISSN 1017-6438

威廉・莫里斯特輯／時廣企業有限公司編製.
--南投縣草屯鎮：臺灣工藝研究所發行,2004〔民93〕
面：公分. --

ISBN 957-01-8771-9(平裝)

1.美術工藝
960　　　　　　　　　　　93020144

發 行 人：洪慶峰
策劃小組：張仁吉、蔡美麗、林秀娟、劉永逸、紀桂銓、
陳泰松、許峰旗、程天立、林正文、陳文標、
李蒼江、江瑞燐、魏楸揚、鄧淑如、黃淑眞、
謝靜怡
編輯顧問：呂華苑、何壽川、林來順、陳立恆、陳曼君
發 行 者：國立台灣工藝研究所
地　　址：542 南投縣草屯鎮中正路 573 號
電　　話：(049) 2334141-3
傳　　眞：(049) 2356613
網　　址：http://www.ntcri.gov.tw/
e - m a i l：ntcri@ntcri.gov.tw
出 版 者：台灣工藝季刊社
電　　話：(049) 2334653
傳　　眞：(049) 2307975
e - m a i l：crafts@ntcri.gov.tw

主題規劃：中國時報企劃開發中心
編製單位：時廣企業有限公司
總 編 輯：張瓊慧
企劃主編：李劍慈
文稿主編：王曉鈴
美術設計：林瑞玟
企宣小組：莊雅萍、游淑君、廖弘欣
地　　址：108 台北市大理街 132 號
電　　話：(02) 23087111 轉 2318
傳　　眞：(02) 23045148
讀者專線：0800-686-688
代理經銷：時報文化出版企業股份有限公司
地　　址：235 台北縣中和市連城路 134 巷 16 號
電　　話：(02) 23066842
製版印刷：五洲彩色製版印刷股份有限公司

出　　版：2004 年 11 月
定　　價：149 元
法律顧問：蕭雄淋律師

劃撥存款收據執聯注意事項

一、本收據請妥爲保管，以便日後查考。

二、如欲查詢存款入帳詳情時，請檢附本收據及已填安之查詢函交原存款局辦理。

三、本收據各項金額、數字係機器印製，如非機器列印或經塗改或無收款郵局收訖章者無效。

請寄款人注意

一、帳號、戶名及寄款人姓名、通訊處請詳細填明，以免誤寄。抵付票據之存款，務請於交換前一天存入。

二、每筆存款至少需在新台幣十元以上，且限填至元位爲止。

三、倘金額塗改時請更換存款單重新填寫。

四、本存款單不得黏貼或附寄任何文件。

五、本存款金額業經電腦登帳後，不得申請撤回。

六、本存款單備供電腦影像處理，請勿折疊。帳戶如需自印存款單，各欄文字及規格必須與本單完全相符。如有不符，各局應婉請寄款人更換郵局印製之存款單填寫，以利處理。

交易代號：0501 現金存款　0502 現金存款（無收據）　0503 票據存款
0505 大宗存款　2212 無收票據存款

通訊欄

訂閱《威廉・莫里斯對台灣工藝的意義特輯》

台灣工藝長期訂戶：一年共四期　NT：499

零售價每本 NT $ 149　　數量＿＿＿＿本

收件人：
□女士　□先生

寄書地址：

白天聯絡電話：

行動電話：

如係代他人訂購，請在通信欄中詳細列明受書人姓名與地址。
若受書人旅居國外，即請以英文正楷書名與地址。

此欄係備寄款人與帳戶通訊之用，惟所付附言應以該次劃撥事宜爲限。